엄마손이 약손이다

뉴욕, 샌프란시스코, LA, 하와이에 살면서
진정한 삶의 의미를 찾는 여정

오라 씨 Ora C 지음

당신의 삶에서 진정한 가치는 무엇입니까?

오라 씨

하와이 마우이에 할레아칼라 **Haleakala** 산 정상에서

엄마손이 약손이다

1장. 균형 있게 사는 법

2장. 변화하는 과정

3장. 오라

프로로그

한국계 미국인을 마사지하는 동안 그녀가 말했다, "당신의 글을 한국어로 써보는 게 어떻겠어요? 당신의 이야기를 한국 사람들한테 들려주는 것이 좋을 것 같아요!"

그녀는 2021년 하와이 마우이 Maui 에 있는 메리어트 Marriott 호텔 스파에서 내가 마사지하던 손님 중 한 명이었다. 그녀의 조언으로 나는 그때부터 내 글을 한글로도 쓰기 시작했다.

27살이 되던 해에, 내가 살던 한국에서 갑자기 미스테리 한 소리를 듣고나서, 혼자서 미국으로 떠나게 된다. 그리고 처음에 정착한 곳이 뉴욕이었다. 그렇게 낯선 땅에서 살게 된 나의 인생은 전환점을 맞이하고, 결국 노매드 nomad 로 살게 된다.

노매드의 삶은 뉴욕에서부터 샌프란시스코, 로스앤젤레스 L.A., 그리고 하와이 마우이까지 거쳐가며 언제든지 이동하고 사는 것이었다. 그렇게 혼자서 새로운 곳을 셀 수 없이 이동하면서 그 안에서 서바이벌 하는 동안, 나의 의식은 성장해 갔고, 나는 본능과 직관에 더 연결되는 체험을 하게 된다. 또한 다양한 사람들과 같이 살고 일 하면서 인간의 본질에 대해 점점 더 이해할 수 있게 되었다.

나는 다음 목적지로 떠날 때는 큰 여행 가방 하나, 배낭 하나, 그리고 두 개의 요가 매트와 삼백만 원 $3,000 정도만 있으면 언제든지 떠날 수 있었다. 그렇게 20여년의 세월을 새로운 곳에서 살면서 도전해 나가는 동안 내가 몰랐던 나의 잠재력을 발굴 하게 된다. 그것은 우리 인간이 무한한 능력을 갖고 있다는 걸 깨닫게 해주었다.

그런 삶을 살고 있던 중 어느 날, 2018년 4월 로스앤젤레스에 살고 있었을 때였다. 갑자기 '글'이 강하게 가슴에서 울렸다. 나는 글을 한 번도 진지하게 써 본적이 없었다 특히 영어로는. 그런데 글을 쓰기 시작하면서 나의 여정은 그 전보다 더 심한 고난도로 펼쳐지기 시작했다. 그런 과정을 이 책 첫 장에 담게 되고 태어나고 자란 한국에서, 왜 갑자기 1999년에 미국으로 떠나게 되는 지로 이어지게 된다. 그리고 나의 내면의 성장과 높은 주파수로 갖게 되는 경험들로 이어진다. 이런 인생의 여정들을 담은 영어버전은 7년 넘게 걸쳐 완성하게 되었고 한글버전으로는 3년 넘게 걸쳐 완성하게 된다.

나는 희망을 잃어가는 이들에게 이 책을 통해 *왜, 인생이 살만한 가치가 있는지* 를 볼 수 있기를 바란다.

오라 씨 Ora C

2014년도 샌프란시스코 마켓가
Market street in San Francisco 에서

오라 씨 Ora C

2015 년도 마우이 **Maui, Hawaii**에
할레아칼라 산 분화구**Haleakakala crater**
안에서

1장 균형 있게 사는 법

1, 나만의 주파수를 찾는 법

높은 주파수 High Frequency

공원에 아이들은 하늘로 날아갈 듯한 긴 끈으로 묶여진 색색의 풍선들을 손에 쥐고 뛰어 놀고 있었다.

로맨 Roman, 내가 베이비시트 Babysit 하고 있는 7살 된 아이였다. 그 아이는 어느 새, 공원에 있는 아이들과 같이 어울리기 시작했다. 그 아이들한테 가보니, 그들은 다름 아닌 로맨의 친구 여동생 생일파티를 온 아이들이었다. 그때가 2018년도 가을, 하와이, 마우이에 있는 푸른 잔잔한 바닷가 옆에 키헤이 공원 Kihei Park 이었다.

한참동안 그들의 천진난만한 웃음소리 "하하하하..."와 바이브 vibe 에 동요되고 있을 때, 갑자기 어떤 강한 기운이 느껴졌다. 그래서 그 기운이 오는 쪽으로 고개를 돌렸다. 한 여자가 나를 뚫어지게 보고 있는 것이었다. 그녀와 내가 눈이 마주치는 순간, 그녀는 내게로 다가왔다. 그녀의 이름은 이리나 Irina, 원래 러시아 사람이다. 그녀는 생일파티에 온 아이들 중에 한 여자아이의 엄마였다. 그녀와 대화가 물어 익어 가고 있을 때 난 말했다,

"정말 희한하지 않아요? 당신과 나는 뉴욕시에 있는

이스트 빌리지 East Village 와 유니언 스퀘어 공원 Union Square Park 에서 몇 년 동안 같은 해에 살았는데도, 길거리에서 한 번도 마주치지 않았다는 사실을? 같은 시간에 같은 길을 걸어갔을 뻔 한데도, 지금처럼 이렇게 눈에 띄거나 우연히 말을 걸거나 하는 기회를 갖지 않았다는 것이... 하지만 지금, 이렇게 생각지도 못한 곳에서 우연히 만나게 되고나서 서로가 세상에 존재한다는 것을 알게 된다는 것이 재미있지 않나요? 또한 이리나 씨가 러시아에서 미국으로 온 해가, 내가 미국으로 온 해와 같은 1999년, 트리플 triple 9 까지! 그리고 뉴욕시에서 나처럼 모델 활동을 했다는 것까지... 이런 신크로나시티 Synchronicity 를 갖는 게 너무 신기하지 않아요?"

(신크로나시티 Synchronicity: 관련 없는 곳이나, 관련 없는 사람들로부터 우연히 같은 일들을 갖는 의미심장한 메세지가 담겨있는)

그녀는 내 말을 진지하게 듣고 나서 대답하길,

"우리 인간들은 각자의 주파수를 가지고 살고 있습니다. 그리고 같은 주파수는 공명 resonate 할 때 인연을 맺을 수 있죠. 예를 들자면, 어떤 사람이 741 Hz 주파수가 몸에 흐르고 있다면, 그와 같은 주파수가 흐르는 사람을 알아볼 것이고, 963 Hz 주파수를 갖고 있는 사람은, 963 Hz를 갖고 있는 사람을 알아볼 수 있을 것입니다. 물론 우린 다른 주파수를 갖은 여러 다양한 사람들을 만나며 살고 있습니다.

15

하지만 주파수가 같지 않은 사람들은 서로 인연을 맺을 확률이 높지 않죠. 내가 지금 당신을 이렇게 알아차릴 수 있게 된 것은, 우리가 같은 주파수를 나누고 있기 때문이죠."

그녀의 말에 나는 닭살이 돋았다. 그리고 다시 그녀에게 물었다.

"와 재밌네요! 그럼 어떻게 해야 우리는 주파수를 올릴 수 있을까요?"

그녀는 대답하기 전에 잠깐 숨을 깊게 마시고나서 말하길,

"맑은 정신과 마음 a clear mind 을 갖고 있으면 주파수를 올릴 수 있습니다."

나는 그녀의 말에 더더욱 놀라 두 손을 내 머리에 감쌌다,

"뭐라고요? 맑은 정신과 마음! 그건 내 글의 핵심과도 같아요.! 와, 이것 또한 신크로나시티네요! 저는 올해 초부터 글을 쓰기 시작했어요. 뉴욕에서 6년 째 되던 해에 우연히 명상을 알게 되었죠. 명상을 하면서 경험하지 못했던 맑은 정신과 마음을 갖게 되었어요. 그것은 혼자서 노매드처럼 새로운 곳에서 개척해 나가는데 도움이 되었어요. 그런 다양하고 신비로운 체험들을 글을 쓰고 있습니다." 나는

말했다.

에버그린 Evergreen 과 나의 같은 주파수가 흐르는 순간
2020년 마우이, 하와이 Maui, Hawaii 에서

사진 찍은이: 줄리 크리스틴 Julie Christine

나눔 (나무의 일생)

수퍼마켓 주차장에 세워둔 내 차에 돌아와 방금 산 딸기를 입속으로 넣으려는 순간, 어떤 남자가 내 차로 다가와서 말을 걸었다. 그때가 2019년 4월 하와이에 마우이 Maui 섬에 있는 푸칼라니 Pukalani 동네 수퍼였다.

"안녕하세요," 그가 말했다.

"안녕하세요..." 나는 얼떨결에 대답했다. "셔츠에 있는 그림이 예술적이네요"라고 나는 덧붙여 말했다.

"어! 이거요? 제가 디자인했어요. 저는 디자인 뿐만 아니라 힙합도 만들어요. 저는 예술가입니다." 그가 말했다.

그는 계속해서 자신에 대해 말하기 시작했다. 그는 예술가이며 대부분의 시간을 예술 하는데 쓰면서 차에서 잠을 잔다고도 했다. 그런데 8살 된 아이가 있고, 돈이 없어 그 아이를 마우이로 데려오지 못한다는 얘기를 꺼내자, 내 가슴 깊은 곳에서 말이 쏟아져 나오기 시작했다,

"당신이 예술 하는 것에 대해 존중합니다. 하지만 **우리 인간들은 현실적인 물질적 세계와 이상의 꿈의 세계를 조화** balance **를 이루며 사는 것 또한 중요하다고 생각합니다.** 우리는 육체라는 것을 갖고 있어서 이 육체를 유지하기 위해서는 밥을 먹어야 하고, 옷이 입어 몸을 보호해야 하며 그리고 집이 있어 쉴 수 있는 공간을 갖는 이런 조건들이 필요하죠. 왜냐하면 이 육체를 통해 우리는 인생의 참 교훈을 배울 수 있기 때문이죠. 그리고 성장하는 아이들한테는 의식주를 스스로 해결할 수 없기에 부모님들의 도움이 필요한 것이죠."

나는 잠깐 말을 멈춰, 숨을 가다듬고 있는 동안 그가 진지하게 듣고 있는 걸 보고 계속 얘기했다,

"저는 지금 유기농 농장에서 일하고 있습니다. 하루에 수백 개가 넘는 모종을 땅에 심기 전에 그 땅에 비료를 깔아줍니다. 그리고 모종을 심고 나서는 주기적으로 물을 주며, 벌레 퇴치하는 것도 뿌려줘야 합니다. 그리고 주변에 자라나는 잡초들도 뽑아 줘야 하고... 그러면 그것들은 결국 열매를 잘 맺게 되죠. 나무도 마찬가지로 이런 조건들이 필요하죠. 그렇게 해서 열매를 맺는 것이 나무의 인생을 완성하는 것입니다. 나는 당신이 좋아하는 예술을 그만두라고 말하는 것이 아닙니다. 아이를 돌보면서 시간이 날 때마다 창작활동을 하시는 건 어떻겠습니까? 그리고 나중에 아이가 다 크고 나면, 모든 시간은 당신의 것이 되지 않을까요?" 나는 말했다.

그는 내 얘기를 듣고 있는 동안 그의 눈에서 빛이 나고 있었다. 내 얘기가 끝나자, 그가 들고 있던 두개의 코코넛 주스 캔 중 하나를 내게 주었다.

"오라씨 코코넛 주스 드시나요?"

그리고 나서 그를 만나고 난 한 달 후 그에게 문자가 왔다,

"알로하 Aloha! 오라, 기 Kii에요. 우리 푸드랜드 주차장에서 만났는데... 오라씨가 나한테 나무의 인생에 대해 얘기하고... 저 기억하세요? 저 오라씨한테 마사지 예약하려고요"

그를 한 시간 마사지하고 나서 마치려는 순간,

"오, 벌써 끝났어요? 그가 내게 물었다.

"예, 1시간 됐어요." 난 대답했다.

"30분 더 해서 1시간 반으로 할 수 있을까요? 1시간 했는데도 몸이 많이 풀렸네요," 그가 물었다.

"나는 기씨가 차 안에서 자고 아이도 이곳으로 데려오지도

못하는 실정이라 1시간으로 끝냈는데..." 난 대답했다.

"오라씨, 저 오라씨 만나고 나서 돈 벌기 시작했어요."
그는 말했다.

"네? 어떻게?" 난 그에게 물었다.

"저는 부엌 카운터에 대리석을 까는 일을 하기 시작했어요.
그 일로 일주일에 이백 오십만 원 넘게 $2,500 벌고 있어요.
그래서 지금 살 집을 구하고 있죠. 집을 찾게 되면, 아이와,
아이의 엄마를 데려올 생각이에요." 그는 말했다.

"정말? 돈을 벌기 시작했다고요? 그리고 가족이랑 같이
살게 된다고요! 너무 잘 됐어요! 너무 기뻐요!" 나는 대답했다.

그의 기쁜 소식은 내게로 공명 resonate 되었고, 나 또한
기쁘게 만들었다. 그리고 내 안의 주파수까지 올려 주게 된다.
그리고 그 높아진 주파 수는 몇일 동안 계속 지속 되었다.

마음이 heart 열려 있으면, 상대방의 기쁨은 자신과
공명되어 그 기쁨이 두배가 되고, 슬픔을 나누게 되면 슬픔을
덜 수 있을 것이다. 그것은 열려 있는 마음의 힘이다. 그렇게
우리 인간들은 직접적인 상호관계 통해 에너지 교류가 더
활성화 될 것이다.

진정한 관심과 긍정적 상호관계 속에서 좋은 호르몬
(옥시토신 oxytocin)이 향상 되고, 이 호르몬, 옥시토신은 행복감을
느끼게 해주는 것 뿐만 아니라 외롭지 않게 해주므로
건강하게 살 수 있을 것이다.

사람들이 에너지 교류를 하고 그것을 활성화는 것은, 마치
숲 속에 있는 나무들이 서로서로를 돕기 위한 균사체
(마이셀리움 mycelium) 를 만드는 것과 같다.

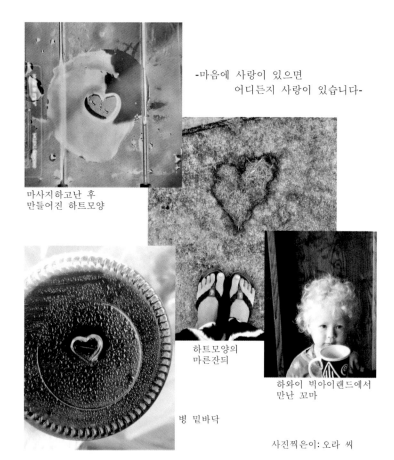

-마음에 사랑이 있으면
　　어디든지 사랑이 있습니다-

마사지하고난 후
만들어진 하트모양

하트모양의
마른잔디

병 밑바닥

하와이 빅아이랜드에서
만난 꼬마

사진찍은이: 오라 씨

감사 (브랜스컴배 리치몬드 Branscomebe Richmond)

유목민처럼 여기저기 살면서 받은 모든 도움들은 돈 주고 살수 없는 소중하고 값진 경험들이었다.

'엄지 손가락을 올리자 마자 차가 멈췄다'

마우이 Maui 는 하와이에 있는 4개의 섬 중 한 섬이다. 그 섬과의 처음 인연은 2006년도에 갖게 된다. 그리고 난생 처음으로 히치하이크 hitchhike를 하게 되었다.

그곳에 시내버스는 1시간 또는 1시간 반 만에 한대 씩 운행 되는 것 뿐만 아니라 전 지역을 운행하지 않았기 때문에, 차 없는 사람들이 히치하이크 하는 것을 흔하게 볼 수 있었다. 처음 히치하이크를 할 때, 차도 끝에 서서 손을 들고 있는 것 조차도 두려웠지만 나를 태워준 사람들로 인해 그 두려움은 사라지게 되었다. 왜냐하면 나를 태워준 운전자들은 예상외로 좋은 사람들이었기 때문이었다. 심지어 어떤 운전자들은 그들이 가는 방향이 아닌 데도 불구하고 나의 목적지까지 데려다 주는 고마운 이들도 있었다.

어떤 사람들이 히치하이크가 위험하다며 안 좋은 의견을
갖고 있었지만 나는 그들의 의견에 반대하지 않았다. 왜냐하면
우리는 무엇을 하던 간에 깨어 있는 정신으로 사는 것이
중요하기 때문이다. 그렇게 히치하이크를 통해 만난 사람들
중, 현지인 뿐만 아니라 루마니아, 헝가리, 이스라엘, 브라질,
피지 Fiji, 등등 여러 각지에서 마우이로 이주해 살고 있는
사람들이었다. 그들과의 만남은 새로 이주한 나에게 유용한
네트워킹이 된 것뿐만 아니라 그들과 친구도 될 수 있었다. 그
중에 마티 Marty도 히치하이크를 통해 만난 친구였다. 어느 날,
마티가 나를 한 파티에 초대하게 된다.

파티는 2014년 12월에 마우이에서 새로 영화위원제로 취임
된 사람의 축하 파티였다. 마티가 그 파티에서 공연하기로
되어 있었는데, 그 파티가 열리기 3일전 갑자기 그는 심하게
다쳐서 그의 공연을 취소해야 했다. 그 결과, 차가 없는 나는,
우프 WWOOF 프로그램을 하고 있는 라우니오포코 Launiupoko에서
파티가 열리는 와일레아 Wailea까지 히치하이크를 통해 가야만
했다. 결국 3번의 히치하이크를 통해 그곳에 도착할 수
있었다.
첫 번째와 두 번째 히치하이크에서 나는 일반 옷차림에서
드레스로 갈아입을 수 있었고 화장도 할 수 있었다. 다행이도
두 운전자는 나의 사정을 듣고는 나를 이해해 주었다. 그리고
세번째 운전자는 그 파티가 열리는 큰 저택 바로 앞까지
데려다 주었다. 그 저택으로 들어 가기 위해서는 굳게 닫혀

있는 철문을 통과 해야 했다. 그리고 세번째 운전자가 문지기한테 내 파티 초대를 설명하고 문을 열어 주게 된다. 이런 모든 과정을 도와준 그 3명의 운전자들에게 진심으로 감사했다.

하지만 그렇게 힘겹게 도착한 파티는 내가 생각과는 많이 달랐다. 그래서 한 시간 지나고 나서 집으로 돌아 가려는 순간, 갑자기 키 큰 3명의 남자가 등장하게 된다. 그들의 등장은 마치 지루했던 긴 영화에서 영웅이 나타나 분위기를 확 바꾸듯이, 파티가 다이내믹하게 변해 가기 시작했다. 그 3명의 남자는 브랜스컴배 리치몬드 Branscomebe Richmond와 그의 두 아들이었다. 브랜스컴배님의 두 아들과 정신없이 시간을 보내는 동안, 어느새 4시간의 파티는 끝나가고 있었고 순간 어떻게 집으로 가야 할지 걱정하기 시작했다. 왜냐하면 나는 밤에 히치하이크를 하지 않았기 때문이다.

파티에 있는 사람들 중 나의 방향으로 가는 사람이 있는지 물어보기 시작했다. 그들은 도와주는 대신 내가 히치하이크로 파티에 온 것에 대해 알게 되자, 껄껄대며 웃기 시작했다. 단 한 사람만 빼고, 바로 브랜스컴배님이었다. 그분은 내게 다가와서 말하길,

"오라, 내가 널 집에 데려다 줄게, 걱정하지 말아"

"정말로요? 오, 정말 감사합니다!" 나는 감동받아 대답했다.

그분한테 더욱더 감동받은 것은, 그분은 쿨라 Kula라는 산 중턱에 살고 계셨고 내가 살고 있던 라오니오포코 랑은 완전히 다른 방향이고 먼 거리임에도 불구하고 데려다 주신다는 것이었다.

그분의 차 안에는 그분 뿐만 아니라 그분의 친구, 그리고 그분의 키 크고 잘생긴 두 아들까지 모두 다 타고 있었다. 마치 신데렐라가 12시가 되자 그녀의 마차가 호박으로 변해 집으로 돌아 갈 수 없게 된 순간 왕자님이 나타나 신데렐라를 집에 대려 다 주듯이, 4명의 보디가드가 나를 집으로 데려다 주는 것 같은 환상에 빠져들게 만들었다. 그 순간에 내 마음속에 감격과 감사는 내 안의 주파수는 높이 올려 주었다. 그리고 그 높아진 주파수는 꽤 오래 동안 지속되었다.

내 생에서 히치하이크의 경험하게 될 거라고는 상상하지 못했다. 하지만 이 경험을 통해 마치 우주가 무 nothing 에서 유 something 를 창조하는 것처럼, 차 살 돈이 없어 히치하이크 하게 된 것이 (무), 마음이 따뜻한 사람들을 만나 친구가 된 기회 (유)가 된것이었다. 이 경험을 통해 우리 인간들은, 없는 것에서 새로 것을 창조해 낼 수 있는 능력이 있다는 것을 다시 한번 깨닫게 되었다.

히치하이크로 통해 자연스런 상호관계를 가졌고 그 속에서 진정한 도움과 감사를 체험할 수 있었다. 그로 인해 나의 주파수가 올려간 것뿐 아니라, 소통하면서 어울려 살아가는

것이, 우리의 삶이 건강하게 유지될 수 있다는 것을 알게
되었다. 그런 훈훈한 마우이의 히치하이크 문화는 점점 사라져
가고 있다. 왜냐하면 새로운 사람들이 이사 오고 나서,
마우이의 물가와 주거비가 점점 올라갔고 전에 살던 사람들은
떠나게 되는 현상이 벌어지고 있기 때문이다 (Gentrification).

2014 년 마우이
라오니오포코에
드레곤과일 농장에서

사진찍은이 : 오라 씨

왼쪽 브랜스컴배리치몬드와 오라
& 아래 브랜스컴배리치몬드,
그분의 두아들, 오라, 그리고
그분의 친구

사진찍은이: 페니 팔머
& 킨 살로앤

숨쉬기

숨을 깊게 마시고 내쉬는 숨쉬기를 통해 나의 정신과 마음을 맑게 만들 수 있었고 내 안의 중심을 잡을 수 있었다.

"오라는 지금까지 실수 한적 없다!"같이 일하는 동료가 나를 비꼬듯 칭찬했다.

그날도 다른 날과 마찬가지로 내가 일하는 식당은 매우 바쁘고 무질서했다. 어떤 동료들은 음식을 나르다가 바닥에 떨어뜨리기도 하고, 어떤 동료는 일하는 도중 갑자기 소리를 지르기도 했다. 그때가 2015년 12월 마우이에서 샌프란시스코로 다시 이사 왔을 때였다.

나는 샌프란시스코에 오자마자 일자리를 찾아야 했다. 그리고 2주 후에 한 채용 광고가 눈에 들어 왔다. 그곳에 이메일로 이력서를 보내자마자 같은 날 면접을 보고 싶다는 답장이 왔다. 그리고 면접을 보는 동안 나는 채용 되었다. 나를 채용한 식당은, 일본에 있는 한 대기업이 미국에 처음으로 오픈하게 되는 식당이었다. 그 식당이 오픈한지 두 달 후, 그곳은 매우 바빠지기 시작했다. 많은 사람들이 식당문이 열리기 전에 문 앞에 서서 기다렸다.

한편 그 식당의 간부들은 효율적인 시스템을 만들기 위해 매일매일 새로운 방법들을 시도했다. 하루가 멀다 하고 새롭게 바뀌는 시스템으로부터 일하는 사람들을 헷갈린 것 뿐만 아니라 5시간 동안 쉬는 시간 없이 바쁘게 움직이며 멀티태스킹 multi-tasking하는 것이 그들을 지치게 했다. 그래서 어떤 동료는 음식을 나르다가 바닥에 떨어 뜨리기도 하고, 어떤 동료는 당황해서 갑자기 큰 소리를 지르기도 했다. 마치 전쟁터에서 일하는 것 같았다. 그것은 큰 스트레스로 다가왔고 잠이 들기 전에, 울다 지쳐 잠이 들었다. 그러던 어느 날 밤, 잠이 들기 전, 나는 간절이 기도를 하게 된다,

"제발, 이 힘든 시기에서 저를 구해주세요.".

그렇게 기도한 다음날, 예기치 못한 일이 일어났다.

그 날도 다른 날과 마찬가지로 바쁘고 무질서한 날이었다. 그런데 갑자기 나는 식당 전체가 어떻게 돌아가는지 한 눈에 훤히 보이기 시작했다. 그것은 다름아닌 깊은 숨쉬기를 시작했기 때문이다.

한걸음한걸음 걸을 때 마다 나는 의식적으로 숨을 깊게 들이 마시고 내쉬었다. 전과 마찬가지로 빠른 페이스를

유지하면서 일을 했지만, 깊은 숨쉬기로 인해 내 정신과 마음이 맑아진 것이다. 그로 인해 내가 맡은 일을 물론이고, 동료들의 일까지 도와 주기 시작했다. 그리고 홀과 주방에 문제가 있을 때나 동료들이 일 손 필요 할 때, 손님들이 문제를 삼을 때에도 동시에 해결할 수 있었다. 심지어는 손님들과 농담까지 주고 받는 여유까지 생기도 했다. 결국 그 식당에서 나는 유일한 한국인 인 것에도 불과하고 팀을 리드 하기도 했다.

깊은 숨쉬기를 통해 5시간 동안 받았던 스트레스는 흥미진진한 경기를 하는 것처럼 바뀌게 된 것이었다.

정신과 마음이 맑은 상태에서는 지각 perceive 하지 못했던 많은 것들을 볼 수 있어 마음의 여유를 갖을 수 있었던 것 같다.

2016-2017년 샌프란시스코 거리

사진찍은이: 오라 씨

-게리 주커브의 책, '영혼의 자리 The Seat of the Soul' 에서 말하듯: 창의적인 생각, 사랑을 갖고 있는 마음, 배려심 (이타적인 마음)은 높은 주파수를 불러 일으킨다. 즉 감사, 용서, 그리고 기쁨 등이 당신 안의 시스템의 주파수를 높입니다...

-Creative or loving or caring thoughts invoke high-frequency emotions, such as appreciation, forgiveness, and joy, and raise the frequency of your system... high frequency will soothe, or calm, or refresh you because of the effect of the quality of its Light upon your system. Such a system is "radiant."-

In the Book, 'The Seat of the Soul' by Gary Zukav

2, 균형 찾기

나의 삶의 방향은 대부분 가슴속에서 울리는 직관을 따라 결정하게 되었다. 그리고 스티브 잡스 Steve Jobs도 이런 말을 했다;

용기를 갖고 가슴과 직관으로 느끼는 데로 따라가라. 그 직관들은 당신이 진정으로 무엇을 원하는지 말해준다. 그리고 나머지 것들은 그것보다는 덜 중요하다.

Have the courage to follow your heart and intuition. They somehow already know what you truly want to become. Everything else is secondary.

'다르게 생각하라...'   -스티브잡스-

'모든 이상한 부분들이 다모여서 만든 이 아름다운 이미지...
인간이기에 그럼 우리 할까...'   -마이클 잭슨-

2018년도 로스앤젤레스 베니스동네 길바닥
사진찍은이: 오라 씨

글 1 (삶의 균형 찾기)

　　　　　지난 10여년 동안 나는, 유목민처럼 살면서 인간의
근본적인 고통에서 벗어나고자 하는 깨달음을 얻는데
몰두하며 살아 왔다. 그러다 보니, 경제적 기반을 닦는데
중점을 두고 살지 않았다. 그러던 어느 날, 2018년도 봄, 나는
무언가를 깨닫게 된다. 그것은, '이 육체를 갖고 있는 동안
우리 인간들은 계속해서 다른 차원의 깨달음 awakening 을 얻을
수 있다' 는 것이었다. 그러던 중, 보라색 꽃들이 만발하게
피고 있는 로스앤젤레스 L.A., 거리를 걷고 있다가 문득 한
질문이 터져 나왔다. 그리고 몇 주 후에, 엘에이 L.A 에 있는
달마 젠 센터 Dharma Zen Center 에서 지도하시는 법사님, 폴 박 Paul
Park 님께 물었다,

"어떻게 하면 물질적 세계와 영적 세계, 이 두개의 세계를
균형 있게 살수 있을까요?"

법사님은 내게 바로 대답하셨다, "하루에 500 배(절)를
100일 동안 해 봐."

나는 그분의 말을 바로 알아차리고 그날로 하루에 500 배 수행에 들어 가게 된다.

신기하게도 이 수행을 시작하고 난 얼마 후, 나의 무의식 속에서 습관적으로 말하는 것, 행동하는 것, 그리고 생각하는 것까지 깨끗이 씻겨 나가더니, 그때그때 알맞는 언행으로 변해가기 시작했다. 그로 인해 그 누구 하고도 좋은 관계를 맺을 수 있었다. 그렇게 수행을 시작한 지 한 달이 됐을 때, 갑자기 내 안에서 새로운 열정이 쑥 올라왔다. 그것은 바로 '글'이었다.

나는 한번도 글을 써서 책을 내려는 생각을 해본적이 없었다, 특히 영어로는. 하지만 글을 쓸 때마다 흥분의 도가니로 몰고가는 것이, 마치 사랑하는 연인이 생긴 것처럼 글 쓰기에 푹 빠지게 되어버렸다. 그렇게 새로운 열정에 빠져 있을 때, 우주가 나에게 시험에 들게 했다. 그것은 다름아닌 내 힐링을 광고하는 웹사이트가 갑자기 사라고 만 것이었다. 그로 인해 나는 다른 일자리를 찾아 비싼 방값을 감당해야 할 실정이 되어버렸다. 엘에이에 일할 만한 모든 곳에 모두 이력서를 보냈지만, 이상하게도 두 달이 넘도록 어느 한 곳에서도 연락이 오지 않았다. 결국 갖고 있던 돈이 얼마 남지 않아 젠 센터를 떠나기로 결정하고 샌프란시스코에서 있는 친구네 집에 한 달 동안 있기로 했다. 그곳에서 월세 걱정 없이 내 글과 500 배 수행을 마칠 수 있다고 믿었기 때문이다. 다행이도 샌프란시스코에 있는 친구가 그의 집에 와 있도록 주었다.

그렇게 떠날 준비를 하고 있는 동안, 참선 수행자 중 한 명이 젠 센터에 찾아왔다. 그녀는 내 근황에 대해 알게 되자, 말하길,

"글 쓰는 건 부자들이나 하는 짓이야. 돈이 없어 방값을 내지 못한다면 글 쓰는 거 때려치우고 돈을 벌어야지!"

그녀의 조언은 내 마음은 바꾸지 못했다. 왜냐하면 나는 일자리 찾는데 최선을 다했기 때문이다. 그래서 결국 샌프란시스코로 떠나게 된다.

골든 게이트 Golden Gate 도시인 샌프란시스코 도착하자마자 예상치 못한 장애물들이 날 기다리고 있었다. 그것은 그곳에 도착한지 이틀 후 내 노트북을 실수로 떨어뜨렸는데, 떨어뜨린 노트북은 완전히 못쓰게 되어 버렸다. 또 다른 장벽은, 내가 머물게 된 친구네 집에 그의 새 여자친구가 들어와서 살게 된다는 것이었다. 그녀는 내가 쓰고 있는 방을 쓰게 될 거라고 했다. 그런 난감한 상황에 겪는 동안 나는 좌절할 시간이 없었다. 그래서 이를 악물고 바로 해결책을 찾는데 집중하기 시작했다.

첫 번째, 노트북에 글을 써왔기에, 우선 새 노트북을

찾는데 몰두했다. 낮이고 밤이고 찾던 노트북을 결국 10일 안에 하나를 찾게 된다. 그것은 중고였지만 망가진 내 노트북 보다는 신형인 데다가, 흠 간데없고 더 가벼워서 마치 새것 같았다. 다음 미션은 죽은 노트북에 있는 데이터를 새로 산 노트북에 옮기는 것이었다. 그 당시 전부 갖고 있던 돈이 삼백만 원도 되지 않았다. 그래서 돈을 아끼기 위해 기술자를 십만 원 넘게 $100 주고 고용하지 않았다. 나는 새로 산 노트북을 가슴에 안고 한 생각에 몰두한채 샌프란시스코 다운타운을 걷기 시작했다,

'어떻게 데이터를 옮길 수 있을까?'

걷다가 다운타운에 있는 유니언 스퀘어 공원 Union Square Park에 도착하게 된다. 그리고 그 공원 안에 시멘트 계단에 앉아 눈을 감고, 깊게 숨을 쉬면서 한 생각에 계속 몰두했다, *'어떻게 데이터를 옮길 수 있을까?'*

한 30분 지났을까, 갑자기 한 사람이 떠올랐다. 그는 실리콘밸리 Silicon Valley 에 있는 애플 회사에서 일하고 있는 사람이었다. 그는 내가 샌프란시스코에 있는 일본 식당에서 일할 때 자주 오던 손님이었다. 나는 바로 그에게 문자를 보냈다. 그리고 그는 아주 간단한 해결 방법을 답장으로 보내왔다.

'찾는 자 한테 길이 있나니!'

그렇게 해결방법을 찾고나서 얻은 기쁨도 가시기전에
살집과 일자리를 찾기 위해 매일매일 여기저기 정신없이
뛰어다녔다. 그리고 500배 수행까지 계속해 나가고 있었다.

글 2 (다음 여정)

　　　　500배 한지 98일째 되던 날이었다. 지친 몸과
마음을 이끌고 시내 버스에 올라탔다. 내가 타고 있는 버스가
미션 지구 Mission District에 있는 14가 정류장에 정차했을 때였다.
　그때 두꺼운 안개가 여느 때와 마찬가지로 하늘에 뒤덮고
있었다. 그 안개 끝자락과 언덕 꼭대기 사이 틈으로 한 줄기의
강한 금빛 빛이 퍼져 나오고 있었다. 그 강한 노을 빛은 내가
타고 있는 버스로 비추는 순간, 나도 모르게 간절히 기도했다,

　'전 어디에서 내 글을 마칠 수 있을까요? 어디 가서 살아야
되나요? 제발 길을 안내해 주세요!'

　기도가 끝나자마자, 버스는 다음 정류장을 향해 달리기
시작했다. 그리고 그 버스가 다음 정류장에 멈췄을 때, 갑자기
내 안에서 걷잡을 수 없는 감정의 소용돌이를 일어났다,
'아니야, 아니야, 아니야!'
　내 감정을 일으킨 것은 다름아닌, 버스 정류장 앞에 세워진
밴 van 뒷유리창에 붙어있는 스티커를 보았을 때다. 그것은
'마우이'가 써 있는 스티커였다.

결국 백일 동안의 500 배 수행을 마치게 되고, 다음날 다시 엘에이에 있는 달마 젠 센터로 돌아갈 비행기 표를 끊게 된다. 다행히도 그곳의 임원과 수행자들은 날 반갑게 맞이 해 주었다. 하지만 이상하게도 엘에이에 돌아가고 나서 계속해서 마우이에 관련 된 사인들을 어디를 가든 매일매일 보게 되는 것이었다, , '알로하 Aloha', '하와이'... 그로 인해 내 안에 분쟁이 일어나기 시작됐다, '마우이로 가', 싫어 안가', '가', '안 간다고...'

그렇게 3주 동안 내면의 분쟁으로 인해 거이 미쳐가고 있을 때, 마음을 비우기 위해 나는 베니스 바닷가 Venice Beach 로 가는 버스를 올라탔다.

드넓은 베니스의 하얀 모래사장 위에 앉아서 푸른 바다와 신선한 공기를 마시는 동안 내 가슴이 확 튀는 것 같았다. 그리고 눈을 감고 명상을 하기 시작했다. 명상을 한지 얼마 후에 마우이로 가는 내 모습을 강렬하게 느껴졌다. 그리고 이번 마우이 여정은 그 어느 때보다 더 험난하게 시작되는 걸 느낄 수 있었다. 힘든 여정이 될 것임에도 불구하고 그곳으로 가기로 결정하게 된다. 그래서 그곳에서 살 곳과 일 할 곳을 찾기 위해 생각에 잠겼다. 그때 한 여자가 떠올랐다.

그녀는 내가 2006년도에 마우이에 처음 갔을 때 만난 사람이었고 순금으로 쥬얼리를 만들며 파는 스튜디오를

운영하고 있었다.그녀한테 문자를 보내자 마자, 놀랍게도 바로 답변이 왔다,

"마우이로 다시 돌아오려고?" 그녀가 답변했다.

"예. 혹시, 당신 스튜디오에 일할 사람 필요하지 않나요?" 난 그녀에게 물었다.

그녀는 그렇지 않아도 그녀를 도울 사람을 구하고 있는 중이라고 말했다. 완벽한 타이밍이었다. 그녀와 연락을 마친 후, 전에 우프 WWOOF 프로그램 했던 농장에 연락했다. 농장 주인은 내가 다시 와서 일하기를 기대한다고 했다. 그렇게 농장에서 물물교환으로 5일 일하고 숙식을 하면서, 2틀은 쥬얼리 스튜디오에서 일하면서 돈을 벌 수 있다고 생각했다. 하지만 이상하게도 두 곳 다 인연이 될 것 같이 느낌이 오지 않았다. 그런 불안을 느끼면서 나에겐 다른 선택권이. 없었다. 결국 2018년 6월 하와이 마우이로 가는 편도 티켓을 갖고 떠나게 된다.

2018 년 로스인젤레스
미라클마일즈
in Miracle Miles, L.A

2018년, 샌프란시스코에 미션 지구
In Mission District, San Francisco

사진찍은이: 오라 씨

마우이의 여정이 시작되다

      마우이에 도착하고 바로 쥬얼리 스튜디오에서
이틀의 연습생 기회가 주어졌다. 하지만 예상과는 달리 연습
기간동안 쥬얼리 스튜디오 주인은 나에게 보석을 파는 방법을
가르쳐 주지 않았다. 나는 보석을 판 경험도 없었고 더군다나
비싼 보석은 어떻게 팔아야 할지 감도 오지 않았다. 그래서
두번의 연습생이 끝난 다음 나는 고용되지 않았다. 한편 2
주간의 2번의 연습생이 진행되는 동안, 우프 프로그램 할
농장은 다른 사람들에게 자리를 주었다. 왜냐하면 그 곳은
바쁜 시기였기에 바로 일 할 사람이 필요했기 때문이다. 결국
예상한대로 두 곳 다 인연이 되지 않았다.
    이런 상황을 겪고 있는 동안 백만 원 정도 ($900 달러) 주고
산 차가 문제를 일으키기 시작했다.

    저녁 일곱시쯤 하이쿠 Haiku 에 있는 하나 고속도로 Hana
Highway를 운전하고 있을 때였다. 갑자기 차에서 '펑'하는
소리가 나더니 차가 오른쪽으로 기울기 시작했다. 차를
재빨리 세우고 차 밖으로 나와서 소리가 난 쪽을 보았다.
차 오른쪽 앞 타이어가 완전히 폭발해 버렸다. 내가 차를 멈춘

50

곳은, 도로에는 갓길도 없고 옆에 난간이 세워져 있어서, 내 차를 도로 밖으로 움직일 수가 없었다. 그래서 내 차로 인한 교통체증이 시작되었다. 난생 처음으로 차를 가져 본 나는, 견인트럭 전화번호도 없었다. 순간 어떻게 할지 몰라 다시 차 안으로 들어갔다. 그리고 나도 모르게 기도를 했다,

'제발 도와주세요'.

그렇게 기도가 끝나자마자, 차 한 대가 바로 내차 앞에 섰다. '감사합니다! 누군가 날 위해 차를 세웠습니다!' 하며 나는 눈물을 글썽 거리면서 차 밖으로 나왔다.

"괜찮아요?" 한 여자가 그녀의 차에서 내리면서 내게 물었다.

"저도 잘 모르겠어요 무슨 일인지... 이 차 산지 3일 밖에 안되고, 마우이에 온 지 얼마 되지 않았고..." 난 대답했다.

그리고 나서 또 다른 차 한 대가 섰고 한 남자가 차에서는 내렸다. 그러고는 그는 내게 물었다,

"괜찮아요?"

그 남자는 내 차를 잔디가 깔려 있는 다른 도로 편으로

옮겨주었다. 그래서 그곳에 차를 밤새 세워 둘 수 있었다. 그리고 차를 세운 여자는 친절하게도 내가 머물고 있는 곳까지 태워다 주었다. 그날 도와준 캐론과 케빈 Caron and Kevin 에게 진심으로 감사했다.

다음날 아침, 마우이에서 새로 만난 친구, 티디 TD 가 내 차에 스페어타이어로 바꾸는 것을 도와주었다. 그리고 나서 타이어 수리하는 곳으로 가니, 수리공은 내 차의 모든 타이어를 바꿔야 한다고 했다. 결국 4개의 새 타이어로 다 바꾸고 나서는 내 주머니에 남아 있는 돈이 거의 없었다. 마우이에 오자마자 일 할 곳도, 살 곳도, 그리고 돈까지 다 써버린 상황이 되고 말았다. 그날 잠잘 곳도 없어 결국 두려움이 몰려왔다.

밤 10시가 넘어가고 있었다. 우왕좌왕 했던 마음을 가라 앉히고 결심하게 된다, '오늘 밤 차 안에 자자.' 차에서 잠을 자본 적은 없어 두려웠지만 그것 외에 다른 방법이 없었다. 그리고 차를 밤새 세워 둘 곳을 찾아 운전하기 시작했다.

한 20, 30 분 운전한 뒤 한적한 곳을 찾게 되었다. 그곳에 차를 세우고 나서, 의자를 뒤로 젖히고 차 창문을 내렸다. 그리고 숨을 깊게 쉬었다. 주변에 집들이 거의 없어 셀 수 없는 반짝반짝 빛나는 별들을 생생히 볼 수 있었다. 그때 나는 그 별들을 보고 저절로 기도를 했다, '제발 이 상황을 헤쳐 나갈 수 있도록 도와주세요. 요가를 가르칠 수 있는 학생이 생기거나 마사지를 해서 돈을 벌게 해주세요'.

그렇게 간절히 기도하는 동안 어떤 한 남자의 모습이 잠깐
스쳐 지나갔다.

2018 년　기도하는 오라
하와이 마우이에 있는 포시즌스 호텔에서

닥터 라이언과 만남 (현실화 Manifestation)

차에서 잔지 열흘 째 되가는 날이었다. 머릿속에 오만 가지 생각들이 나를 미치게 만들고 있었다. 그런데 갑자기 한줄기의 소리가 들려왔다, *'바다로 가!'*.
나는 볼드윈 바닷가 Baldwin Beach로 운전하기 시작했다.

바닷가 모래사장을 정신 잃고 걷고 있었다. 그러다 갑자기 주변 파도 소리가 들리기 시작했다. 그것은 잃었던 정신이 지금 순간으로 돌아온 것이다. 내 정신을 돌아오게 한 건 다름아닌 멀리 서 있는 한 남자의 모습을 보고나서 였다. 그 남자는 다름아닌 내가 차 안에서 자게 된 첫날 밤 기도할 때 잠깐 스쳐 지나간 남자의 모습이었다. 놀라운 마음을 가라앉히지 못한 채 그가 있는 쪽으로 향해 걷기 시작했다.
그의 앞을 지나치고 있을 때, 그의 두 마리 개 중 한 마리가 날 쫓아오기 시작했다. 난 그 개를 보느라, 주의하지 못하고 돌에 걸려서 넘어질 뻔 했다. 그때, 그 남자는 내게 다가와서 말하길,

"어, 괜찮아요? 죄송합니다, 제 개 때문에... 닌자 Ninja

이리와."

사실 닌자는 내 길을 방해한 것이 아니고 나를 그분과 연결 해주는 다리 역할이 된 것이었다.

그분의 이름은 라이언 Dr. Ryan이었고 의사였다. 그분은 세계 마스터 수영 챔피언에 참가하기 위해 준비하고 있었다. 그래서 딱 붙는 검정 미니 삼각 수영복을 바닷가에서 입고 있었던 것이었다. 보통 마우이 남자들은 바닷가에서 딱 붙는 삼각팬티 입는 경우가 없었기에 '유럽 사람인가' 라고 생각했다. 그분의 소개가 끝나고나서 나서, 나를 소개했다. 내가 원래 한국에서 왔다고 말하자 그분 왈,

"오 그래요! 나는 2019년에 한국에서 개최하게 되는 세계 마스터 수영 챔피언 대회에 참가할 계획입니다!"

"아 그렇군요!" 나는 대답했다. 그리고 계속해서 나에 대해 소개했다. "저는 한국 전통 요가, 국선도를 가르칩니다."

내 말이 끝나자마자 그분이 나에게 물었다,

"오, 그래요! 혹시 저의 개인 요가 선생님이 될 수 있으세요?"

'뭐라고?' 난 그의 요청을 믿을 수가 없어 하늘로 치솟는 듯했으나, 마음을 가라앉히고 그분에게 차분히 대답했다,

"그럼요, 전화번호 어떻게 되죠? 제가 시간 맞춰 연락 드리겠습니다." 나는 대답했다.

그분은 계속해서 자신에 대해 말을 하고 있었지만 내 기도가 현실화 manifestation 됐다는 사실에 너무 흥분한 나머지, 그분의 말은 그냥 윙윙거리며 들려왔다.

닥터 라이언은 나에게 큰 영감이 되었다. 내가 그분을 만났을 때, 그분은 70세였다. 그분은 매일 아침 5시에 수영장에 가서 수영을 한시간 반하고, 수영이 끝나고 나면 이틀에 한번 헬스장에서 가서 근육을 튼튼하게 만들었다. 그렇게 운동이 끝나고 나면 아침 9시부터 저녁 6시까지 주 5일 동안 일을 했다.
그분이 나의 요가 배우고 있는 동안, 말레이시아와 오스트레일리아에 가서 대회에서 각각 금메달을 땄다. 그리고 그 두 나라에서 내게 문자를 보냈다.

"오라씨 너무 고마워요. 당신의 가르침이 대단한 결과를 낳는데 기여했군요. 우리는 행복한 팀입니다."

그렇게 닥터 라이언과 만나고 난 며칠 후, 나는 차에서

자는 걸 마감하게 된다. 왜냐하면 베이비시터 제안이
들어왔다. 그 일은 일주에 3일을 아이가 학교가 끝나면 같이
놀아주는 일이었다. 그리고 그 아이를 돌봐 주는 대신
그 집에 남는 방을 쓸 수 있는 물물 교환 이었다. 자취방
하나의 백 만원 넘는 마우이에서, 그 제안은 완벽한
제안이었다. 그렇게 2018년도의 마우이 여정이 시작된
것이었다.

2018년 마우이에서 닥터 라이언 국선도 가르치는 장면

사진찍은이: 오라 씨

3, 내면의 자유

응급 치유

　　　미라 Mira는 일이 끝 난지 1시간 지났는데도 연락이
없었다. 나는 마냥 기다리는 대신, 그녀한테 연락했다. 그녀는
전화를 받자마자 숨을 허덕이며 다급했고 말했다,

　　"오라야, 빨리 여기로 올라와!"

　　나는 서둘러 그녀가 있는 방으로 올라갔다. 그녀가 있는
방문을 열자, 바닥에 널브러져 있는 미라의 어시스턴트를
그녀의 손으로 지탱하고 있는 걸 볼 수 있었다. 나는
순간적으로 달려가 그녀의 어시스턴트 몸 상태를 파악하기
시작했다. 그녀의 몸은 얼음같이 차가웠고 나무토막처럼
딱딱하게 굳어 있었다. 하지만 의식은 완전히 잃지 않은
상태였다. 순간 나는 생각하길, *'위험한 상황이다! 911 불러야
된다.'* 다른 한편으로는, *'그냥 보고만 있으면서 911 오기만
기다린다면, 이 여자는 위험할 것이다'* 라고 스쳐갔다.
　　그래서 그냥 한 생각으로 그녀를 마사지하기 시작했다,
'구하자 Save her.'

62

한동안 정신없이 그녀를 마사지 하고 나자 그녀가 조금씩 움직이기 시작했다. 그래서 미라와 나는 그녀를 부추기고 차로 데리고 갔다. 그녀를 데려다 주는 차안에서 나는 쉬지 않고 1시간 넘게 그녀를 마사지했다는 걸 알게 됐다.

그 일이 있었던 이틀 후에, 그 어시스턴트한테 문자가 왔다. 그녀는 다음날 걸어 다닐 수 있었고 침도 맞으러 갔다고 했다. 그로부터 며칠 후, 그녀는 완전히 정상으로 돌아왔다고 했다.

그때가 2018년도 8월 메이크업 아티스트이자 헤어드레서인 미라가 그녀의 어시스턴트와 함께 마우이 메리어트 리조트 Marriott Resort 에서 일 하는 날이었다. 메리어트 리조트는 바닷가와 가까워서, 미라는 나한테 같이 가자고 제안했다. 왜냐하면 그녀가 일하는 동안 나는 바닷가에서 시간을 보낼 수 있었기 때문이다.

그날 우연히 그녀가 일하는 곳에 같이 가서 예상치 못한 응급 치유를 하게 된 것이었다.

그 응급 치유를 통해, 내가 어렸을 때 우리 엄마가 나의 아픈 곳을 문질러줬던 것이 생각났다.

"엄마 손이 약손이다, 엄마 손이 약손이다…" 하시면서 엄마가 내 아픈 곳을 한 동안 문질러 주시면 그 아픈 부위가 감쪽같이 나았다.

2018년 미라의 어시스턴트 응급마사지를 마치면서

사진찍은이: 오라 씨

회복 탄력성1 Resilience1 (스스로 치유)

　　　　유기농 농장에서 일 한지 9개월 되 가고 있었을
때다. 그때가 2019년 9월, 나는 하와이주 마사지 치료사
자격증을 따야겠다는 마음을 먹게 된다. 하지만 그 자격증을
따기 위해서는 먼저 마사지 학교 과정을 수료해야 했다. 그
당시 농장에서 버는 돈으로 비싼 방값과 학비 둘 다를 감당할
수 없는 실정이었다. 결국 학교를 다니기 위해, 방을 빼고
텐트에서 자기로 결심을 하게 된다. 학교를 시작하고,
텐트에서 잔지 3일째 되던 날 아침, 예상치 못한 일을 겪게
된다.

　　아침에 일어나 보니, 전날 밤 심하게 내린 비로 인해 텐트
안에 물이 고여 있었다. 나는 몸을 일으키려는 순간, 왼쪽 목,
어깨 그리고 팔까지 아주 심하게 아파서 움직일 수가 없었다.
그 고통이 너무 심해, 운전하다 가도 차를 멈춰야 했다.
　다치거나 사고 나지 않은 상태에서 이렇게 심하게 몸이 아파
본적은 처음이었다. 그런 불편한 몸 상태인 데도 학교와
농장을 계속 나가야 했다. 그렇게 한 달을 버티다가 결국
병원에 가서 진단을 받게 된다.

의사는 그저 나에게 진통제를 복용하라고 제안을 했지만 나는 그것을 복용하지 않았다. 왜냐하면 지난 20년간 미국에서 살면서 의료보험이 갖고 있지 않았기 때문에, 양약을 복용하지 않았다. 그래서 인지, 내 몸은 양약에 대해 민감한 반응을 일으켰다. 결국 이런 과정을 겪는 것이 너무 벅차서 학교를 그만두기로 결정하게 된다. 자퇴를 하려는 순간, 학교 코디네이터이자 원장 부인이 나에게 제안을 하게 된다,

"학교를 청소하는 것은 어떻겠어요? 학교를 청소하는 시간만큼 학비를 면제해 줄게요. 그리고 나머지 학비는 다달이 내지 말고 형편이 될 때 내도록 해요. 그럼 학교를 계속 다닐 수 있을 테니까."

그녀의 제안이 무리라고 생각하기 보다는, 나를 도우려는 마음이 내 마음에 공명 resonate 되어 눈물을 쏟게 만들었다. 그 제안을 받아들이고 나서, 나는 텐트에서 자는 것을 마감하고 방을 구할 수 있었다.

그리고 매일 아침 4시 30분에 일어서 5시까지 학교에 도착했다. 그리고 2시간 동안 학교 전체를 청소했다. 청소가 끝나면 7시 30분까지 농장에 가서 일을 시작했다. 농장에서 일할 때는 왼쪽 몸이 아팠기 때문에 주로 오른쪽을 사용했다. 그리고 오후 1시나 2시까지 농장 일을 마치고 나서, 5시부터 밤 9시까지 진행되는 학교 수업에 참석하기위해 준비했다. 이런 과정을 거쳐가면서 다시 한번 깨닫게 된다,

'인간의 강한 정신은 육체적 고통을 뛰어넘을 수 있다'

한편 시간이 날 때마다 나는 스스로 아픈 곳을 치유 self-healing 하기 시작했다.

첫 번째, 일주일에 두, 세 번씩 시간이 날 때마다 바닷가로 가서 바다속으로 들어가 1시간 정도 있으면서 원인을 알 수 없는 고통이 씻겨 나가길 바랐다. 두 번째, 아픈 부위를 잘 움직일 수 없었으나, 깊은 숨과 함께 스트레칭을 해주었다. 세 번째, 아픈 부위에 손이 잘 닿지 않아도 계속 마사지를 해주었다. 그리고 마지막으로, 아픔이 낫도록 기도와 명상을 매일같이 했다.

이렇게 스스로 치유한지 두 달이 지났을 때, 어느 정도 아픔이 가라앉았다. 그리고 네 달 지나고 나서는 완전히 치유되었다. 다 나았을 때의 기분은, 마치 새 몸을 갖고 다시 태어난 것 같았다. 그때 학교에 있는 선생님 중 한 분이 말하길,

"오라야, 넌 전사다!"

그렇게 아픈 곳이 낫고 몇 달은 아무 일 없이 흘러가는 것 같았다. 그러던 어느 날, 2020년 4월, 코로나-19 Covid-19 팬데믹이 막 시작되었을 때였다.

슈퍼마켓에 들렸다가 집으로 오는 길이었다. 갑자기
재채기를 심하게 하기 시작했다. 그래서 갖고 다니는 생
마늘을 먹기 위해 차를 세웠다.

나는 지난 2, 3년 동안 감기 같은 초기 증상을 일으키면,
바로 생 마늘 두, 세 쪽 씩 먹기 시작했다. 그리고 나면
증상이 사라지곤 했다. 하지만 이번 것은 생마늘 다섯, 여섯
쪽이나 먹었는데도 나아지지 않는 것이었다. 순간 C-19
팬데믹에 대한 두려움이 밀려왔다. 그 순간 깊게 숨을 쉬며
마음을 가라 앉혔다. 마음이 가라 앉고 나서, 이 증상을
치료할 수 있는 나만의 민간요법을 만들기 위해 집으로
운전하기 시작했다.

첫 번째, 통 생강 충분히 썰고 그것을 물에 넣고 팔팔
끓였다. 생강물이 충분히 우려내고 나서 그물을 컵에 따랐다.
그리고 갖고 있던 인삼가루, 강황 turmeric 가루, 계피가루를, 그
생강물에 혼합했다. 그 다음에 통 레몬을 그 안에 짰다. 그
차로 인해 내 몸에 열을 발산 되어 땀을 흘릴 수 있었고
레몬으로부터 비타민 C를 공급받을 수 있었다. 나는 몸이
회복될 때까지 이 차를 물처럼 마셨다.

두 번째, 유기농 닭으로 매운 닭 국을 끓여 먹었다.
집에 있는 야채와 매운 고추씨와 고추 가루를 듬뿍 넣고
마늘과 생강 또한 충분히 넣고 끓였다. 이 매운 닭국은 땀을
많이 흘리게 만든 것뿐만 아니라 매운 걸로 인해 폐와
콧구멍이 뚫리는데 도움을 주었다. 그리고 닭으로부터

단백질도 보강할 수 있었다. 이상하게도 이 아픈 기간 동안 내 몸에서 콩을 당겨서, 콩을 사서 끓여 먹기도 했다. 알고 보니 콩은 미네랄이 풍부한 식품이었다.

세 번째, 매일 공원에 가서 30분 정도 운동을 했다. 공원에 가기 전에 옷을 많이 끼워 입고 공원에서 계단을 오르락 내리락 하면서 땀을 많이 쏟게 만들었다.

마지막으로, 농장에서 일하는 시간 외에는 하루 종일 잠을 잤다. 그렇게 스스로 치유한 결과, 8일 만에 완쾌되었다. 그리고 8일 동안 아프고 난 뒤, 기적이 일어났다.

나는 평생 동안, 한 달에 한 두 번씩 감기에 걸려 고생을 하곤 했다. 감기에 걸리면 2, 3일 정도 자리에 누워 의식을 잃곤 하였다. 하지만 이번 8일 동안 아프고 나서 지금까지 2년 동안 한 번도 아프지 않았다. 내 몸의 면역성이 자연적으로 강화된 것이었다. 그리고 매일 먹던 생 마늘도 이젠 매일 먹지 않게 되었다. 이것은 기적이었다. 그리고 신기하게도 이번 8일을 아프기 3일 전에, 연락 안 한 지 오래된 뉴저지 New Jersey 에 한의사 이신, 마이클 리 Michael J H Lee 님으로부터 연락이 온 것이었다. 그분은 C-19을 치유 가능한 방법들을 내게 문자로 보내 주셨다. 그것이 영감 되어 나 스스로가 치유할 수 있었다. 그분에게 진심으로 감사를 드린다. 그렇게 병이 낫자마자 학교에서는 클리닉이 시작됐다. 저녁에는 클리닉에서 4시간 마사지를 해야 했고 낮에는 농장에서 6시간 일을 해. 나갔다.

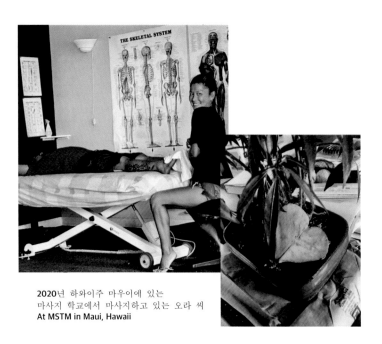

2020년 하와이주 마우이에 있는
마사지 학교에서 마사지하고 있는 오라 씨
At MSTM in Maui, Hawaii

회복탄력성 2 (믿음)

하루에 10시간씩 육체적인 힘든 노동, 농장일과 마사지로 내 팔과 손목의 무리가 오고 말았다.

손에 감각이 없거나 절일 때도 있고 약해져서 물건을 계속 떨어트리기도 했다. 결국 의사를 찾아 가보니, 손목터널증후군 Carpal Tunnel Syndrome'으로 판명 내렸다. 그래서 그 증상이 더 나빠지기 전에 나는 학교와 농장일 둘 다 그만두게 되었다. 손을 이용해 생계를 유지해 왔기에 그것은 좌절감과 우울증을 겪게 만들었다. 하지만 나는 오직 한 생각 빠져 있었다, *'어떻게 하면 손목터널증후군을 낫게 할 수 있을까?'*

그러던 어느 날, 2020년 8월 24일, 학교에서 배운 해부학을 다시 훑어보게 되었다. 그리고 나서 내 팔을 여기저기 만져 보면서 트리거 포인트 trigger point를 찾기 시작했다. 그때 플렉스 칼피 레디알레스 Flexor Carpi Radialis 근육과 안쪽 팔목 근육의 통증이 손목까지 전달되는 걸 발견 할 수 있었다. 그래서 그 근육들을 마사지하기 시작했다. 두 달 정도 아픈 부위를 마사지하고 손을 쓰지 않아 손목터널증후군이 많이 호전 되었다. 그래서 다시 학교에 돌아 갔고 클리닉에서 일주일에 16시간을 마사지를 시작했다. 하지만 농장은 팬데믹으로 인해

다시 돌아가지 못했다. 학교에 다시 돌아가자 마자 2020년
11월 학기말 최종학기 시험과 졸업날을 맞이하게 되었다.

시험 대비를 위해서 해부학, 생리학, 운동학, 신경근육
치료법, 규범, 등등, 난생처음으로 엄청난 양의 공부를
머리속에 집어넣다 보니, 하루에 한 두 번씩 기절하는
현상까지 일어났다. 노력의 결실을 맺듯이, 최종학기 시험에
통과 했다. 하지만 다른 학생들처럼 졸업장을 받지 못했다.
왜냐하면 손목터널증후군으로 클리닉을 다 끝마치지 못한
것뿐 아니라, 전 학비를 다 내지 못했기 때문에 졸업장을 받지
못한 것이다. 졸업식에서 나만 빼고 모두 다 졸업장을 들고
있는 걸 보는 순간 그 동안 버텨 온 의지가 무너지고 말았다.
지금까지 열심히 달려 왔지만 결실을 맺을 수 없다는 현실에
낙담하게 된 것이다.

그때부터 모든 걸 부정적으로 보기 시작했다. 졸업식이
끝난 2주 후, 나의 마음이 점점 더 어두워지고 있을 때,
우주가 내게 큰 시험을 던져 주게 된다.

저녁 7시쯤 운전을 하고 있었을 때였다. 그런데 갑자기 내
차가 받치게 되는 차고가 나게 된다. 그 사고로 내 차가 너무
심하게 받쳐서, 차를 폐차 시켜야 했다. 그것은 차를 잃은 것
뿐만 아니라, 외상 후 스트레스 장애 PTSD, 목 굴절상까지 겪어
나가야 했다. 더 힘들었던 상황은, 내 차를 박은 사람이 갖고
있는 차 보험과, 내가 갖고 있는 차 보험, 둘 다 사고에서

보험 혜택을 받을 수 없는 걸 알게 되었을 때였다. 그것은 사고의 모든 경비를 나 스스로가 감당해야만 했다. 그런 극단적인 상황에서 이상하게도 나의 모든 부정적인 생각이 온데간데 없이 사라져 버렸다. 그리고 오직 한 생각 만 갖고 하루하루 책임져야 할 일에 몰두하기 시작했다. 그 **한 생각은 나를 믿기 시작한 것이었다.**

 '난, 이 재난에서 벗어날 수 있어. 그리고 언젠가는 모든 학비를 다 갚고 졸업장을 받을 수 있을 거야.'

 나는 포기했던 학교도 다시 나가서 클리닉에서 마사지를 다시 하기 시작했다. 한편 고맙게도 몇몇의 지인들은 나를 돕기 시작했다. 집주인은 내가 시내에 급하게 갈 일이 있거나, 밤에 학교에서 돌아올 때 (버스 노선이 없었기에) 차를 태워 주었다. 그리고 전에 일한 농장에 주인은 내게 좀 기부금을 주었다. 어떤 아는 이는 김치를 배달해 주기도 했다. 난 그들에게 진심으로 감사했다. 그리고 나서 얼마 후, 기적적인 일이 일어났다.

회복탄력성3

　　다이애나 Diana는 내가 6년 전 잠깐 1주일 동안 알게 된 친구이다. 2015년에 내가 우프 프로그램을 하고 있을 때, 그녀는 내가 일하는 농장에 동료를 방문하러 마우이에 왔다. 그런데 우리는 보자마자 서로 친구가 되었다. 나는 밥을 해서 그녀와 나눠 먹었고 바닷가도 데려가는 등 마치 오래된 친구처럼 시간을 보냈다. 그 1주일의 인연이 있고 난 후 6년 만에 그녀를 다시 보게 된 것이다.

　이번에 그녀가 마우이에 왔을 때는 팬데믹으로 인해, 막 지원금을 나눠 주고 있었을 때였다. 그녀는 내가 팬데믹으로 인해 농장에 다시 돌아가지 못하게 된 걸 알게 되자, 실업수당 지원금 신청에 도와 주게 된다. 결국 나는 지원금을 받게 되고 그 지원금으로 차 사고로 들어간 모든 경비들과 학비까지 다 갚을 수 있었다. 그것은 기적 같은 일이었다.

　학비를 다 갚고 나서 받은 졸업장으로, 하와이주 마사지 치료사 자격증 시험을 치를 수 있었다. 2021년 3월, 나는 하와이주 마사지 치료사 자격증을 취득하게 되고 마사지 치료사가 되었다. 그리고 또 하나 상이 우주로부터 내려지고 있었다.

차 사고가 난 후, 차 살여유가 안돼서 버스를 타고 다니기 시작했다. 그때 와일레아 있는 메리어트 Marriott 호텔 스파 spa 에서 마사지 치료사로 일을 하고 있었다. 그곳에 출근하기 위해 하루에 4대의 다른 시내 버스를 갈아 타야 했다. 그 곳의 출퇴근 왕복으로 5시간 소모 되었다. 그렇게 6개월 지내면서, 간절함이 생기기 시작했다. 그것은 누군가에게 차를 렌트하고 싶다는 마음이었다. 그러던 어느 날, 10년 전에 알게 된 크리스탈 Crystal 한테 연락이 왔다.

그녀와 연락이 끊긴지 한 3, 4년 되었는데 갑자기 그녀가 자신의 몸의 치유가 필요하다며 나를 찾아 온 것이었다. 그녀의 엠알아이 MRI를 보고나서 그녀의 척추에 이상이 있는 걸 알게 되었다. 그래서 그 증상에 맞는 마사지하기 시작했다. 그녀를 치유를 한지 두 달 정도 지난 후에 그녀의 증상이 많이 호전되었다. 그래서 그녀는 나한테 정기적으로 치유 받기를 원했다. 그리고 물물 교환을 제안했다. 그 물물 교환은, 그녀가 일주일에 한 번씩, 나의 90분 마사지 치료를 받는 대신, 나는 그녀가 갖고 있는 여러 차들 중에 한대를 끌고 다릴 수 있는 교환이었다. 그것은 완벽한 제안 뿐 아니라 내 원하던 것이 현실화 시키는 순간이었다. 그녀의 차를 몰고 다니기 시작하면서 아는 사람들이 그 차를 보며 말하길,

"차 좋은데요!"

"아, 제 차 아니에요,"라고 나는 대답하곤 했다.

78

그렇게 1년 넘는 격동의 세월을 극복하고 나서 티베트 라마 겔슨 Gyaltsen 님께 찾아 갔다.

"라마, 이렇게 완전한 평온함을 느껴 본적이 없는 것 같습니다." 나는 말했다.

그러자 라마가 웃으며 대답하길, "오라야, 깨달음을 얻었구나 you got enlightened"

마사지 학교에서 배운 과목들

우연한 셀카

사진찍은이: 오라 씨

새로운 나

도전을 극복하는 것은,

나무가 긴 겨울을 버티고나서 이른 봄에 다시 싹을

피우는 환희와 같다   - 오라 전 -

벚꽃   사진찍은이 : 오라 전

차가 생기고 나서 나는 마우이에 있는 대기업 럭셔리 호텔 스파 spa에서 마사지 치료사로 일하기 시작했다.

그곳에서 일을 시작하자마자 나는 다른 차원의 장벽들을 겪어 나가야 했다. 그것은 전에 겪어 본 적이 없는 어려운 도전이었다. 그 힘든 시간들을 겪는 동안 중심을 잃지 않기 위해, 순간순간 정신 바짝 차리며 일 해야 있어야 했다. 너무 버거울 땐 호텔 카페에서 앉아 울음이 터트리기도 했다. 그럴 때마다 고맙게도 같이 일하는 몇몇의 동료들과 다른 부서에서 일하는 직원들까지 내게 와서 알로하 포옹 Aloha hug을해 주었다.

'진정한 위로로 안아주는 포옹은 용기를 북돋아 주는 것뿐만 아니라 치유의 힘도 있다'.

　나는 영혼을 잃지 않기 위해 퇴근하고 집에 와서 매일같이 기도하며 명상도 했다. 그렇게 포기하지 않고 버텨 나간 모든 노력으로 결국 그 장벽을 뚫고 나갈 수 있는 방법을 찾게 되었다. 그리고 무엇보다도 그곳에서 버틸 수 있었던 것은, 나에게 마사지를 받은 호텔 손님들의 반응이었다.
　대부분의 나의 마사지를 받은 손님들은 계속해서 나를 다시 찾았고 그들의 아픈 곳이 나아졌다는 피드백 feedback 으로부터 내가 하는 일에 대해 보람을 느끼게 해 주었다.

　　인생은 우리가 생각하지 못했던 많은 장벽과 도전들로 펼쳐지는 것 같다. 어느때는 방향을 잃는 것 같지만, 그 시기는 인생의 전환점이라는 걸 깨닫게 되었다. 나는 그런 전환기를 거쳐 갈때마다 인생을 배웠고, '오래된 나'로부터 '새로운 나'로 변하게 되었다.
　'오래된 나'는 즉, 무의식 안에서 습관적으로 갖은 부정적인 생각들과 감정들이었다. 그것들은 자만심 (강한 자아 ego), 질투, 이기심, 지나친 집착과 욕심, 두려움, 화 그리고 깨어 있지 않은 의식 등 이었다. 그런 성향을 갖고 살았을 때는 나의 삶은 비포장 도로 마냥 끝없는 굴곡이 이어졌다. 그러나 전환기를 통해 그런 성향들을 볼 수 있었고, 그것을 통제할 수 있는 능력을 계발하게 되었다. 그것은 '알아차림'이다.

알아차림은, 부정적 성향들이 올라 올때마다 그것들을 볼 수 있는 것이고 깊은 숨쉬기를 통해 그것들을 흘려 보낼 수 있는 것이다. 그리고 또한 긍정적인 쪽으로 에너지를 전환시키는 것이다. 이것은 반복적인 훈련을 통해 습관으로 만드는 것이 가능하다.

(무엇을 100% 집중할 수 있는 운동, 춤, 예술 행위, 명상 같은 것을 꾸준히 함으로써 마음을 비울 수 있고 새로운 에너지로 채울 수 있을 것이다).

이런 훈련과 노력으로 결국 나는, '진정한 나 true heartfelt'와 연결 할 수 있었고 진정한 나와의 연결은 '진짜의 나 authenticity'로 살아 갈 수 있게 해 주었다.

진짜의 나로 살아 가는 것은, 내 안에 중심이 잡혀 있어 흔들리지 않고 밖에서 일어나는 현상에 유동성 flexible 있게 언제든지 대처 할 수 있는 것이다. 그렇게 진짜의 나로 살아가기 시작하면서 마음의 평화와 자유를 경험하게 된다.

이런 전환기는 마치 기어 다니는 차원에서 살던 애벌레가 다른 차원으로 바뀌는 과정과 같다. 애벌레의 전환기는 번데기 과정이다.

번데기 과정은, 밖에 있을 때처럼 움직일 수도 없고 몇 날 또는 몇 달을 궂은 날씨에도 버텨야 하는 힘든 과정이고 끈기가 필요하다. 하지만 그런 어려운 과정을 묵묵히 극복하고 나면, 결국 오래된 자신으로부터 벗어나 새로운 모습으로 탈바꿈되어 나오게 된다.

　그것은 더 이상 애벌레가 아닌, 기어다니는 차원에서
벗어나 날개를 달고 자유롭게 날아다니는 나비가 되어 나오는
것이다.

2002년
하와이 오하우,
Oahu, Hawaii

스카이다이빙하는
오라

'나비' 셀카

사진찍은이: 오라 씨

2장 변화하는 과정

"여행하지 않은 사람에게는 이 세상은 한 페이지만 읽은 책과 같다"

-철학자 아우쿠스티누스-

1, 변신

천둥 같은 소리

　　　　　나의 고등학교 시절: 80년도 말에서 90년도 초는
순탄하게 시작 되지 않았다.

　한국에서 고등학교에 다니기 시작하면서 3년 내내 단
하루에 치루는 대학 진학 시험을 보기 위해 하루 종일 책상
의자에 앉아 있어야 했다. 매 교시마다 과목별 시험문제를
풀어야 하는 것을 1년 내내 하며 버티다가 결국, 나의 한계에
도달하게 된다. 그래서 문제를 푸는 대신 교실 안에서 잠을
자기 시작했다. 그 결과 나는 교무실로 불려 가게 된다.
　그 당시 한국에서 학생이 받는 처벌은 나무 몽둥이 같은
걸로 맞는 것이었다. 그리고 선생님의 성격에 따라 몽둥이
크기는 달랐다. 대부분 매일 보는 시험에서 성적이 낮거나,
나같은 태도를 갖고 있는 학생들은 매를 맞았다. 그러다 보니
결국, 학교를 다녀야 하는 목적을 잃어 가기 시작했다. 그러던
어느 날, 학교내에서 특별활동이 시작됐다. 그 특별 활동은
학생들이 노래, 춤, 연기 등으로 경쟁하는 컴피티션 competition
이었다. 그 활동에 참여하는 학생들은, 하루 종일 교실 안에
앉아서 시험문제를 풀지 않아도 되는 특권이 갖게 되었다.
　나는 그 컴피티션에 참여하기 시작했고 목적을 잃었던

학교생활에 희망을 갖는 터닝 포인트 turning point로 전환되었다.

운동장 한가운데서 천명이 넘는 학생들 앞에서 공연을
하는 동안 나의 **생각과 감정으로부터 초월하게 되는 완전한
자유를** free from minds. **경험할 수 있었다.** 그리고 상도 받았고
많은 팬들도 생겼다. 그런 유명함과 흥미진진한 학교 생활에
푹 빠져 있을 때, 시간은 순식간에 흘러 갔고 졸업을 맞이하게
된다. 그러나 졸업하고 나서 공연을 할 무대도, 팬들도 없어진
것 뿐 아니라 뚜렷한 방향도 없이 처음으로 강한 외로움을
느끼게 되었다.그렇게 1년을 방황하고 나서 돈을 벌겠다는
마음을 먹기 시작했다. 처음 갖은 직업은 대학 졸업장을
요구하지 않는 옷 가게 판매원이었다.

옷을 파는 것은 그 당시 패션에 관심이 많았기 때문에
어려운 일이 아니었다. 옷을 팔면서 바쁘지 않은 날에는 나의
상상력을 발휘해서 쇼윈도 마네킹 옷을 갈아 입히기도 했다.
그러던 어느 날, 밖에 있는 사람들이 가게로 들어오면서
묻기를,

"저 마네킹이 입고 있는 옷을 사고 싶은데, 어디 있어요?
그리고 누가 디스플레이 했나요?"

마네킹에 입혀진 옷이 다 팔린 것 뿐 아니라, 내가
매장안에서 입고 있는 옷까지 다 팔리게 되었다. 그런 나의
패션에 대한 열정이 담긴 그 옷 가게는 날이 갈 수록 점점 더

바빠 지기 시작했다.

'일할 때 그 일과 완전히 하나 되어 열정을 쏟는 것은 마치 우주와 하나되어 무한한 상상력과 연결되는 것 같다.'

그렇게 삼 년 동안 옷 가게에서 일하고 있던 어느 날, 갑자기 패션에 대한 열정 뚝 떨어져버린다. 그로 인해 더 이상 그 옷가게에서 일을 할 수가 없었다. 그래서 일을 그만두게 된다. 처음에는 가게 주인이 나에게 몹시 화를 냈지만 시간이 지나고 나서 돈을 더 주겠다며 다시 오라고 했다. 하지만 나는 다시 돌아갈 마음을 전혀 생기지 않았다.

그 일을 그만두고 나서 정해진 방향도 없이 여기저기 알바를 하면서 열정을 쏟을 수 있는 일을 다시 찾길 바랬다. 그러나 그 당시 한국 사회에서는 고등학교 학력으로 어떤 일을 해야 할지 감을 잡을 수가 없었다. 결국 나는 처음으로 인생의 방향을 잃게 된다. 그것은 나 자신과 세상을 싫어하기 시작했고 희망이 없는 삶이었으며 나 스스로를 파괴하는 어두운 길로 빠지게 된다. 마치 소울 Soul 과의 연결이 끊어진 것처럼 밤과 낮을 불문하고 매일같이 술과 담배에 빠져 살기 시작했다. 그렇게 이삼 년 동안, 내 안의 나침반이 멈춰져 있었을 때 어느 날 내게 설명할 수 없는 일이 일어났다.

거리를 아무 생각 없이 걷고 있던 중 갑자기 천둥 같은 큰 소리가 내게 소리쳤다,

'미국으로 가!'

　그 소리는 내 머리속을 백지처럼 하얗게 만들더니, 나는 미국으로 가야 한다는 생각 외에는 아무 생각도 할 수 없었다. 결국 6개월 동안 미국 갈 준비를 마치고 1999년도에 여름에 미국으로 떠나게 된다.

'천둥 & 불 옴' 콜라주아트

아티스트: 오라 씨

모델과 영화 배우가 되다

천둥 같은 소리를 따라 1999년 여름, 제이에프케이 JFK 뉴욕 국제공항에 도착하게 된다. 그리고 처음으로 맨하튼 Manhattan 거리에 발을 딛는 순간, 내 온몸에서 크게 전율했다, *'여긴 내가 있을 곳이다!'*.

나는 뉴욕 바이브와 바로 하나가 되는 경험하게 된다.

뉴욕에서 영어를 배우는 학교를 다니기 시작한 몇 달 후에, 기억에 남는 사람을 만나게 된다. 그는 아프리카 있는 어느 한 나라에서 온 사람이었다. 그와 대화를 나누고 있는 동안, 그는 마치 나의 내면의 거울이 된 것처럼 나의 한국적 고정관념을 비춰주었다.

그때 나는 처음으로 고정관념을 갖고 있다는 사실을 알게 되었다. 그리고 마법처럼 나는 고정관념이라는 상자안에서 나올 수 있었고 마음이 열리기 open mind 시작했다. 마음이 열려 있는 즉, 오픈 마인드는, 새로운 지각 new perception 을 갖게 했고 나를 빠르게 뉴욕커 New Yorker로 변하게 만들었다. 그렇게 2, 3년 학교를 다니고 있었을 때, 내 안에서 워킹 비자 working visa 를 받고 싶다는 열망 깊어져 가고 있었다. 그러던 어느 날,

맨하튼 거리를 걷고 있는데 한 영화 포스터가 날 부르고
있었다. 그 포스터는 영화 '*시카고 Chicago*' 였다.

그 영화가 중간 정도 방영될 때였다. 갑자기 내 단전에서
강한 진동이 일어나기 시작했다,
　'*저거야! 르네 젤위거 Renee Zellweger 처럼 사람들 앞에서*
공연하는 것, 저게 내가 하고 싶은 거야!'

영화를 보고 난 3주 후에, 나는 내가 다니고 있었던 전문
대학교에서 웨스트 빌리지 West Village에 있는 연극 영화 학교인
에이치 비 스튜디오 HB Studio로 옮기게 된다. 그 학교의 첫날
수업에서 너무 들뜬 나머지 수업이 어떻게 진행됐는지 기억
할 수가 없었다. 그것은 마치 목말라 했던 물고기가 물을 만나
물속에서 정신없이 헤엄치는 것과 같다고 나 할까?
　그렇게 연기학교를 다닌 지 1주일 후에, 오디션 하나를
우연히 보게 된다. 마치 모든 것이 실타래의 실이 술술
풀려나가 듯 했다. 그 오디션은 스티븐 스필버그가 만들게 될
영화, '게이샤의 추억 Memories of a Geisha' 에 나올 아시안 여자
단역을 뽑는 거였다. 그 오디션은 맨하튼의 있는 큰 강당에서
열리기로 되어 있었다.

오디션 날, 그 큰 강당안으로 들어서는 순간, 게이샤의
추억의 오디션 뿐 아니라 다른 오디션들, 즉 제이시 페니
JCPenney, 메이시스 Macy's 등이 진행되고 있었다. 나는 게이샤의

추억의 캐스팅을 찾아 줄을 섰다. 드디어 내차례가 되고, 책상 뒤에 앉아 무표정을 짓고 있는 캐스팅하는 남자한테 다가섰다.

그는 내게 물었다,

"사진하고 이력서?"

"네? 어... 가져오지 않았는데요..." 난 억지로 미소를 지으며 대답했다.

"다음!" 그는 바로 날 거절했다.

거절당한 순간, 나는 잠깐 정신이 잃게 됐다. 그 당시 나는 무엇을 시작할 때 준비하는 성격이 아니어서 오디션에 필요한 걸 알아보지도 않은 채 무작정 간 것이었다. 다시 제정신이 돌아오고 나서 강당안을 둘러보기 시작했다. 여기 저기 진행이 되는 오디션을 구경하면 걷고 있다가 갑자기 한 여자가 날 부르기 시작했다,

"여기요! 실례합니다,"

난 걸음을 멈추고 그녀가 있는 쪽으로 고개를 돌렸다,

"당신 모델 입니까?" 그녀는 내게 물었다.

"아닌데요." 난 대답했다.

"정말? 당신같이 예쁜 사람이? 당신, 모델하고 싶지
않아요?" 그녀가 물렀다.

"예?" 난 잘못 들었나 하면서 대답했다.

"여기, 이 소속사에 전화해 봐요." 그녀는 말했다. 그리고
내게 모델 소속사 번호를 건네 주었다.

"아, 감사합니다!" 난 대답했다. 그 전화번호를 받고 나서
방금 일어난 일을 믿을 수가 없어 어안이 벙벙했다.

다음날 들뜨고 긴장된 마음으로 모델 소속사 사무실로
찾아갔다. 소속사는 내 생각과는 달리 아주 작았다. 미팅을
진행하는 중에 한 사진작가 사무실로 들어왔다. 미팅이 끝나고
나는 밖으로 나와 복도에 있는 의자에 앉아 숨을 돌리고
있었다. 그때 사무실 안에서 본 사진작가도 밖으로 나오더니
내 옆에 앉았다. 그리고는 그는 내게 여러가지 질문하기 하기
시작했다. 그렇게 그 사진작가와 긴 애기가 끝난 후, 그는
내게 물었다,

"당신, 워킹 비자 후원해 주는 모델 소속사에서 모델로
활동 하고 싶지 않아요?"

그 순간 너무 놀라 내 눈은 동그랗게 커졌고 수많은 생각들이 내 머릿속에서 경주 하듯 지나갔다, *'뭐라고? 지금 장난해? 내가 지금 얼마나 워킹 비자를 받기 원하는데!'* 이 모든 생각들을 난 한마디로 대답했다,

"네!"

그 사진작가를 만나고 난 2달 후에 나는 한 모델 소속사에 일하기 시작했고 워킹 비자까지도 받게 된다. 그때 내 나이 31살에 뉴욕에서 모델과 영화 배우가 된 것이었다. 또한 내가 간절히 원했던 워킹 비자까지 받게 된다. 꿈이 현실화 manifestation 되는 순간이었다.

그 소속사에서 받은 첫번째 오디션은 마돈나 Madonna와 브리트니 스피어스 Britney Spears의 뮤직비디오에 백그라운드 댄서들을 뽑는 것이었다.

총 5,000 여명이 그 캐스팅에 왔다고 한다. 그 가운데 50명 만 뽑았는데, 나는 그 50명 안에 뽑히게 되었다. 그리고 촬영 날 브리트니 스피어스와 함께 춤을 추는 촬영이 시작됐다. 시작이 좋았던 것 같았다. 그리고 다음 기억에 남는 촬영은 노키아 Nokia 전화기 광고 캐스팅에 모델을 찾는 것이었다.

그 캐스팅콜에 1,000 정도 아시아 여자 모델들이 왔다고 한다. 그 캐스팅에서 단 한 명의 아시아 여자 모델을 뽑고 있었는데 내가 뽑히게 된 것이다. 999명을 제치고 내가 된

것에 매우 뿌듯한 것 뿐만 아니라 모델료 중에 가장 큰 페이 payment 받았던 촬영이었다. 그리고 베이비 펫 Baby Phat 브랜드 패션 화보 촬영은 2005년 이른 가을에 미국에 모든 잡지, 보그, 엘르, 마리끌레르 등등에 실리게 되었다. 그 밖의 영국의 뮤직밴드에 뮤직비디오, 할리우드 영화의 단역 등등으로 활동하면서 카메라 앞에서 나는 무한한 열정을 쏟아 부을 수 있었다. 또한 셀 수 없는 수 많은 파티에도 초대받는 등 결국 잠들지 않는 뉴욕 생활에 빠져 들기 시작한다.

2005 년
뉴욕시에서
독립영화
' 밀루 **Milieu**'
촬영에서

2005년 뉴욕시에서
'베이비 펫 **Baby Phat**'
촬영에서

진정한 삶의 목적이 무엇인가?

　　　　　모델과 연기 생활을 한지 2년이 지나고 나서 아시안 여자 모델을 찾는 캐스팅과 오디션이 점점 줄어 들기 시작했다. 결국 몇 달 동안 아예 한 오디션도 없게 되 버리는 상황을 맞게 된다. 그것은 비싼 뉴욕에서 사는데 경제적으로 큰 타격이 되었다.

　그 당시 나는 혼자서 미국에 왔기에 가족이 없는 건 물론이고, 친구라고 생각했던 이들도 나의 어려운 상황이 되자, 하나 둘 씩 떠나가기 시작했고 남자 친구도 없었고 어느 누구도 내 옆에 존재하지 않는 낯선 땅에서 완전히 혼자가 되는 경험을 하게 된다. 이런 상황을 겪고 있던 어느 날 2005년 12월 겨울, 나는 맨하튼 동쪽 미드타운 Midtown 에 있는 고층건물 옥상으로 올라갔다. 그 아파트 옥상은 내가 한달 동안 묵게 된 곳이었다.

　빌딩 꼭대기에 서서 바라본 세상은, 회색 하늘 아래 즐비하게 늘어선 회색건물의 꼭대기들 만이 보였다. 그리고 어느 한 사람도 내 시야에 보이지 않았다. 마치 영화, '인셉션'

속의 한 장면처럼 버려진 빌딩 정글안에 나 혼자 덩그러니
남겨진 것 같았다. 그때 강한 바람이 내 등 뒤로 '쉬이... 하고
지나갔다. 그 순간 내 안에서 한 질문이 터져 나왔다.

'난 왜 여기에 혼자 있는 거지? 이게 뭐지?'

그 질문과 함께 처음으로 내 마음은 미래도 과거에도 있지
않은 오직 '지금'이라는 순간을 경험하게 된다. 처음으로
경험하는 '지금'은 너무 낯 설은 것뿐 아니라 행복하지 않는
상황이라는 걸 뚜렷하게 볼 수 있었다.

다음 날, 나는 타임스퀘어 Time square 에 근처에 있는
브라이언 공원 Bryant Park에 갔다. 그때가 오후 5시쯤 이었다.
공원 옆 6가를 걷기 시작했을 때 갑자기 수많은 사람들이
모든 빌딩안에서 개미 때처럼 밀려나오더니 길거리를 꽉
채웠다. 그들은 땅바닥을 보며 한 방향으로 빨리 걸어가고
있었다. 그곳은 다름아닌 전철역이 였다. 나는 그들과 반대
방향으로 천천히 걸어가며 내 눈앞의 펼쳐지는 광경을 보고
있었다. 그들은 고개를 숙여 빨리 걷고 있었지만 그 어느
누구도 나랑 부딪히는 사람이 없었다. 대신 내 한발자국
한발자국이 마치 길을 열듯이, 그들은 내 길을 걸어가도록
길을 피해 주며 걷는 것이었다. 그때 또 다른 질문이 터졌다,

'인간의 진정한 삶의 목적이 무엇인가?'

혼란스러운 시간을 겪고 있던 중 어느 날 밤, 맨하튼 거리를 나는 정처 없이 걷고 있었다. 그때, 잊지 못할 사람을 만나게 된다.

한 여자가 지나치다가 멈추더니, 나를 부르기 시작했다,

"실례합니다!"

그녀를 쳐다보자 그녀는 계속 말을 이어 나갔다,

"당신은 명상을 해야 합니다 You need to do meditation". 그녀가 말했다.

"명상을 해야 한다고요? 명상이 무엇입니까?" 난 그녀에게 물었다. 그 당시 나는 명상이 무언지 알기 전이었다.

"앉아서 눈을 감고 숨을 깊게 들이 마시고 깊게 내쉬는 것입니다. 그렇게 숨을 깊게 쉬면서 앉아 있을 수 있을 만큼 앉아 있는 것이 명상입니다. Sit and breathe deeply in and out as long as you can"라고 그녀가 대답했다.

그렇게 간단한 명상의 방법을 소개해주고 나서는, 그녀는 그대로 사라져 버렸다. 난 그녀가 누군인지도, 이름도 알 수 없었다. 하지만 예상하지 못한 그녀와의 만남으로 알게 된 명상이, 내 인생을 바꿔 놓을 거라고 그때는 상상하지 못했다.

106

그녀를 만나고 나서 며칠 후 샌프란시스코로 가고 싶은
마음이 강렬하게 올라왔다. 그래서 결국 6년의 뉴욕생활을
접고 새로운 여정을 향해 2006년 1월, 샌프란시스코로 떠나게
된다.

오라, **2005년 뉴욕 미드타운 at Midtown in New York**

첫 명상

샌프란시스코에서 1주일 제공받은 곳에서 나오는 날이었다. 아는 사람도 없는 이 새로운 도시에서 돈도 얼마 남아 있지 않았기에 어디로 가야 할지 막막했다. 나는 정처 없이 로워 해이트 거리 Lower Haight Street를 걷고 있었다. 그때 나도 모르게 저절로 간절한 기도를 하게 된다,

'도와주세요.'

기도를 하고 나서도 계속해서 걷고 있었다. 그런데 한 남자가 휙 하고 길을 건너는 모습이 내 눈에 들어왔다. 그는 어느 건물 안으로 들어갔다. 그 건물은 '영적 힐링 센터 Spiritual Healing Center' 라고 쓰여 있었다. 마치 무슨 마술에 걸리듯 나는 그가 들어간 건물로 들어갔다. 그 남자는 그 센터의 원장이었다. 그 원장님은 그곳을 운영하면서 영적 카드 리딩도 하고 있었다. 그 순간 영적 카드를 통해 나의 새로운 방향을 찾을 수 있지 않을까 라는 생각으로 그날 오후 카드 리딩 예약을 하게 된다.

원장님이 내 카드를 읽고 있는 동안, 나는 내 사정에 대해

털어놓았다. 내 사정을 듣고 난 후 원장님이 말했다,

"사실, 우리 센터에 도움이 필요한데..."

그 분은 내 사정을 듣고나서 나에게 물물교환을 제안했다. 그 물물 교환은 내가 그곳에서 간단한 심부름이나 청소 등을 하는 대신, 그 센터에서 숙식을 제공 받는 것이었다. 갈 곳 없는 나에게는 그것이 완벽한 제안이었다. 그리고 나는 그때 난생 처음으로 물물교환이라는 것을 하게 된다.

그 힐링 센터는, 마약중독이나 알코올중독 자들이 와서 그들의 몸과 마음을 정화 detox 하는 재활 센터였다. 나는 처음으로 재활센터라는 것이 있다는 걸 알게 되었다
그곳의 일정은, 세끼 다 초식 (비건 vegan)을 하면서, 명상, 요가와 타이 치 Tai Chi, 사우나 등으로 몸과 정신, 마음을 정화 시키는 곳이었다. 그 힐링 센터에서 지내는 것이 내게도 결정적인 중요한 계기가 되었다.

나는 그곳에 지내면서 유기농 비건 음식을 먹기 시작한 것 뿐 아니라, 10년 동안 거의 매일같이 마셨던 술과 담배를 처음으로 끊게 되었다.

'우주가 날 위해 만든 계획이었구나!'

그렇게 힐링 센터에서 지낸 몇 주 후, 설명할 수 없는 일을 경험을 하게 된다.

센터 앞 유리창을 닦고 있던 날이었다. 그때 뉴욕에 있는 모델 소속사들 agents 로부터 오래간만에 끊임없는 전화들이 걸려왔다. 그들은 내가 여전히 뉴욕에 있을 거라 생각하고 연락한 것이다. 그중 메인 소속사로부터 받은 전화는, 광고주가 내 사진만으로 나를 그들의 광고에 쓰겠다는 통화였다. 그 소식은 나를 혼란스럽게 만들기 시작했다.
 '도대체 얼마의 돈을 날아간 거야! 지금 이게 뭐 하고 있는 거지? 돈 한 푼도 안 받고 이 유리창이나 닦고 있다니!' 라며 스스로를 비참하게 느끼기 시작했다. 그 순간 내 안에서 소리가 들렸다,

 '네가 뉴욕을 왜 떠났는지 잊지 말아라!'.

그 소리로 인해 내가 닦고 있던 유리창 걸레를 떨어뜨렸고, 그 걸레가 떨어지는 순간 나의 모든 생각과 집착도 놓게 된다. 그때 갑자기 어떤 기운이 나의 엉치에서부터 척추를 타고 머리로 빠르게 올라갔다. 그리고 나서는 나는 더 이상 그전의 내가 아니라는 걸 느끼게 된다. 그렇게 센터에서 세 시간 정도 일하고 난 나머지 시간은 하루 종일 어디든지 앉을 수만 있다면 명상을 하기 시작했다.
버스를 기다리는 동안 버스 정류장에 앉아 5분 또는

10분이라도 눈을 감고 명상을 했다. 커피숍밖에 테이블에 앉아 있을 때도 명상을 했고, 트윈 픽스 Twin Peaks 라는 산 위에서, 또는 오션 비치 Ocean Beach 라는 바닷가 등등 어느 곳이든 엉덩이 대고 앉을 수 있으면 눈을 감고 명상을 했다.

명상을 하면 할수록 마음과 정신이 맑아지더니 그 어느 누구도 전에 나에게 가르쳐 주지 않았던 새로운 차원을 인지하기 시작했다. 그렇게 명상하는 것이 점점 깊어 가고 있던 중, 내 친구와 그 당시 남자친구와 함께 네팔 Nepal 식당을 가게 된다.

내가 식당에 들어서자마자, 식당에서 틀고 있는 음악이 내게 강렬하게 전율 되었다.

"여기요, 여기요, 이 음악이 무슨 음악입니까?" 나는 바로 식당 안에 있는 사람한테 물었다.

"옴 마니 패드 메 훔 Om Mani Pad Me Hum 이라는 티베트 불교 만트라 입니다." 웨이터가 대답했다.

그 만트라는 마치 내 무의식 속에 전생이 깨우고 그것과 연결되어 강한 진동을 일으키는 것 같았다. 이렇게 명상을 통해 이해할 수 없는 일들이 계속 일어나자, 명상을 깊이 파고들고 싶다는 욕망이 커져 가고 있었다. 그때 신크로시티를 받게 된다.

만나는 사람들마다 나에게 '마우이' 얘기하기 시작했고
그곳에 살고 있는 사람들을 만나지 않나 마우이에 여행 갔다
온 사람 등 끝임 없는 '마우이' 신크로나시티가 내게 전달됐다.

결국 몇달 동안 계속되는 이 신크로나시티를 받아들이고
한번도 가본적이 없는 마우이로 2006년 8월에 짐 가방 하나를
챙기고 떠나게 된다

2006년 트윈 픽스 샌프란시스코 Twin peaks in San Francisco

사진찍은이 오라 씨

마우이 Maui

마우이 공항에서 나오자마자 내 앞에 펼쳐진 장엄한 산으로부터 나는 입이 떡 벌어졌다. 그리고 그 섬의 흐르는 강한 기운이 내 몸을 전율했다. 그런 경이로운 순간으로부터 제 정신으로 돌아왔을 때, 내 손가락에서 피가 흐르는 걸 볼 수 있었다.

나는 마우이 공항에 도착했을 때 너무 흥분한 나머지, 공항에 있는 짐수레 끌다가 넘어졌는데 그때는 손가락에서 피가 나는 걸 알아차리지 못했다. 그 일을 마우이에 사는 몇몇 사람들한테 얘기 하니, 그들이 말하길, 피의 상징은 마우이가 처음오는 사람들을 환영하는 뜻이라고 했다.

처음에 나는 하이쿠 Haiku 라는 동네에 살게 된다. 그 집의 룸메이트들은, 음악인, 화가, 디제이 DJ, 등등 예술을 하는 이들었다. 그들과 같이 살고 있는 동안, 나 또한 그들의 자유로운 생각과 바이브 vibe에 녹아 들기 시작했다. 그런 가운데 명상도 계속해 나갔다.

명상을 하면 할수록 점점 더 '나'라는 생각과 마음이 비워지더니, 마치 어떤 진동이든 연주될 수 있는 새로운 악기로 되어 가는 것 같았다.

그러던 어느 날, 집안에 있는 키보드 앞에 앉아, 건반을 두드리기 시작했다. 그 순간 옛 기억속으로 빠지게 된다.

내가 10살 정도 되었을 때, 피아노 학원에 다니는 친구 따라 피아노 학원에 6개월 다닌 적이 있었다. 피아노의 건반을 만지는 순간 나는 그것에 푹 빠지게 된다. 하지만 학원을 다닌 지 6개월 만에 나는 그만 둘 수밖에 없었다.

그 당시 나는 학원을 다닌지 6개월도 되지 않았지만, 3년 4년 정도 학원에 다니면서 칠 수 있는 레벨을 혼자서 칠 수 있었다. 심지어는 악보 없이도 어떤 음악이든 들으면 치기도 했다. 그런 나의 연주를 본 학원 원장선생님이 내게 몹시 화를 내며 내게 말하길,

"너의 레벨에서는 그걸 치면 안 돼!"

그 원장님의 화로 인해 나는 그 학원을 그만두게 된다. 그리고 엄마한테 가서 피아노를 사달라고 했지만, 엄마가 말씀하시길,

"우린 너에게 피아노 사줄 형편이 안 된다."

그것이 내가 마지막으로 피아노를 치게 된 순간이었다. 그 아픈 기억으로부터 돌아 와서 다시 키보드를 하나 둘 씩

눌러보기 보기 시작했다.

그때 갑자기 어떤 멜로디가 내 온몸을 감싸기 시작하더니, 내 손가락들은 마치 피아노 건반에서 춤을 추듯 그 멜로디에 따라 움직이기 시작했다. 그 멜로디와 내가 하나되어 정신없이 연주하고 있는 동안 한 여자가 집으로 들어왔다. 그녀는 소파에 조용히 앉아 내 연주를 듣기 시작했다. 그녀는 내 룸메이트의 친구였다.

한 2시간 정도 쉬지 않고 피아노를 치고 나서, 드디어 멈출 수 있었다. 소파에 조용히 앉아 듣고 있었던 여자는 내게 다가오더니 물었다,

"너무 아름다운 연주였어요! 당신 피아니스트인가요?"

"아닌데요" 난 대답했다.

"뭐라고요? 당신의 연주한 곡은 정말 놀라웠어요!" 그녀가 말했다.

나도 그녀의 말에 동의했다. 하지만 그 순간이 지나고 나서는 그 멜로디에 대한 기억도, 연주하는 방법도 기억이 나지 않았다. 이런 말로 설명할 수 없는 현상들은 명상을 시작하고 나서 일어나는 것들 중 하나였다. 그렇게 하이쿠 집에서 나는 두 달 살고 나서, 어느 한 농장에 일 교환 work trade 으로 들어갔다. 하지만 그곳과 맞지 않아 한달만에

나와버리게 된다. 갑자기 나오는 바람에 갈 곳이 없었다. 날은 벌써 저물어 가기 시작했고 두려움이 밀려왔다. 그때 지는 해를 바라보며 간절히 기도했다,

'전 오늘 밤 어디에서 자야 하나요?"

기도를 끝나자마자 친구 켈리한테 전화가 걸려 왔다,

"관연 (Quanyin 그때 마우이 사람들이 부르던 내 이름), 우리가 살 집을 찾았어! 빨리 이쪽으로 와"

"뭐라고? 알았어 빨리 갈게!" 난 대답했다.

켈리는 내가 살 곳을 찾고 있다는 걸 알고 있었지만, 그날 내가 농장에서 나왔다는 걸 알지 못했다.
마치 우주가 나의 간절한 기도를 켈리를 통해 응답한 것 같았다. 그렇게 켈리가 있는 곳으로 향하는 동안 앞으로 펼쳐질 것에 대해 설렘이 일어나기 시작했다.

2006-2007년 하와이에
마우이섬에서

사진찍은이: 오라 전
         & 마이클 엑스텔

정글 생활

"좋은 사람들이군요. 이사 와도 됩니다." 주인
아주머니께서 켈리와 나한테 말씀하셨다.

켈리와 내가 이사간 곳은 후엘로 Huelo 라는 지역으로,
정글로 이루어진 큰 대지 안에 있는 여러 집들 중, 한
집이었다.

우리가 살게 된 집은 작지만 나무로 지어져 있었고
오픈형의 넓은 테라스가 있었다. 그 테라스 안에 부엌이 세팅
setting 되어 있었지만, 전기, 전화 수신, 또는 인터넷 서비스를
갖추어지지는 않았다. 그야말로 정글생활이 시작된 것이었다.
그곳으로 이사한 다음날, 나는 들뜬 마음으로 내가 살게 된
정글을 탐험하기 시작했다.

첫 번째로 키가 큰 나무에 길게 묶여 있는 그네 하나가 내
눈에 들어왔다. 나는 그 그네에 앉아 왔다 갔다 움직이면서
동심에 빠져 들고 있을 때, 검은 새끼 돼지 한 마리가
어슬렁거리며 걸어 다니는 걸 볼 수 있었다. 그리고 개들과
고양이들이 그 돼지 주변으로 뛰어 놀고 있었다. 그 장면은

마치 어느 평화스런 오후에 그려진 일본 애니메이션 영화 속
한 장면 같았다. 그네에서 내린 뒤, 더 깊은 정글 안으로
들어갔다.

그곳에는 수많은 열대과일: 바나나, 아보카도, 구와바,
코코넛, 패션 프르트 등등으로 채워져 있었다. 그리고
그것들을 한 아름 따서 가슴에 안고 집으로 돌아왔다.
나무에서 직접 과일을 따 먹는 것은 마치, '에덴 동산에 사는
것과 같지 않을까?' 라는 상상을 하게 됐다. 그리고 한 동안은
정글 안에 있는 과일들만 먹고 살기도 했다. 또한 스티브
원더의 노래 중에 '컴백 에즈 어 플라워 Come Back As A Flower'를
끝임없이 들으며 자연과 내가 하나 되는 순간도 경험을 하게
되었다. 그러던 어느 날 밤, 아이러니한 일이 경험하게 된다.

밤이 되어 초에 불을 붙이는 순간, 내 주변의 보이지
않았던 큰 바퀴벌레들이 도망가는 걸 볼 수 있었다.
아이러니하게도, 내가 그 바퀴벌레들을 놀라게 한 것에 대해
미안한 감정이 들었다. 점점 내 주변에 존재하는 모든 것들에
대해 무섭다 거나 두렵다는 생각보다는, 그들과 같이 공존하며
사는 것에 대해 익숙해져 가고 있었다. 그렇게 정글에서 산지
몇 주가 지나자 켈리는 더이상 정글 집에 오지 않게 되고,
그로 인해 그곳은 나만의 성스러운 장소가 되어버린다.

아침에 일어나면, 정글대지 안에 흐르고 있는 작은
개울가로 내려갔다. 그리고 난 완전한 자유가 된 몸으로

물속으로 들어갔다. 맑은 우윳빛 물은 이른 아침에도 불구하고 차갑지 않았다. 아침 햇살이 개울을 둘러싼 나무들 사이로 퍼져 나오는 순간, 마치 요정들이 깨어 나올 듯 했다. 그리고 물 밖으로 나와서 개울가 옆에 있는 큰 바위에 앉아 오후가 될 때까지 몇 시간이고 명상을 하곤 했다.

오후가 되면, 정글에서 나와서 해안절벽으로 갔다. 높이가 100 미터 넘게 보이는 그 절벽 끝에는, 용머리처럼 툭 튀어나온 곳이 있었다. 나는 마치 용머리에 올라 타듯 그 끝자락에 앉아 명상을 하곤 했다.

내 밑은 깊고 깊은 바다가 펼쳐져 있었고 바람은 내 몸을 흔들며 끝임없이 지나갔다. 너무 강한 바람으로 인해 순간 '내가 날아가 버리지 않을까?'라는 두려움도 생겼지만 바로 마음의 중심을 잡고 계속 명상을 했다. 그렇게 대부분의 시간을 자연속에서 명상하던 중, 어느 날, 그 어느 것 과도 비교할 수 경험을 하게 된다.

그 날도 다른 날과 마찬 가지로 명상을 하고 있었다, 그런데 갑자기, 내 몸이 완전이 비워지고 나더니, 하늘에서 밝은 빛과 사랑의 에너지가 끝없이 내 몸 안으로 채워지기 시작했다. 그리고 그것은 넘쳐 흘러 내렸다. 그것은 짧은 순간의 경험이었지만 말로 다 표현 할 수 없는 경이로운 경험이었다.

그렇게 마우이에서 일 년 가까이 지내는 동안 어느 날 밤,

이상한 꿈을 꾸게 된다. 꿈에 엄마가 나왔는데 엄마는 검은 지하 세계 같은 곳에서 혼자 울고 있는 것이었다.

"엄마 여기 왜 있어?" 난 꿈속에 울고 있는 엄마한테 물었다.

"나도 모르겠어." 엄마는 울면서 무서움에 떨고 있었다.

나는 너무 놀라 꿈에서 깨어나자마자 엄마한테 연락했다. 그리고 전화 통화를 통해, 엄마가 몹시 아프다는 걸 알게 되었다. 하지만 엄마는 그동안 나한테 엄마의 병안을 자세히 알리지 않았던 것이었다. 엄마가 많이 아프다는 걸 안 이상, 꿈 같은 마우이에 더 이상 있을 수가 없었다. 그래서 결국 8년의 미국 여정을 마감하고, 편도 비행기 표를 끊고 2007년 여름에 한국으로 나가게 된다.

2006년도에 살았던
마우이섬의 정글집

사진찍은이:오라 씨

2, 전사의 영혼

인도 배낭여행 1

8년 만에 돌아온 한국은 예전의 모습이 아니었다.

새롭게 지어진 아파트 단지들로 고향에 있던 많은 논들을 사라지고, 도로에 꽉 채워진 차들, 또한 사람들은 고개 숙여 그들의 전화기에 몰두하며 걷고 있었고, 그리고 엄마의 실망까지... 나는 엄마를 돌보기 위해서는 돈이 필요하다는 걸 한국에 와서 되었다.

하지만 정글에서 살다 온 나는, 새로운 한국에서 어디서, 어떻게, 무엇을 시작해야 할지 막막해 했다. 결국 한국에 온지 3주만에 인도로 떠나기로 결심을 하게 된다. 그곳에서 영적 스승 guru을 만나, 내 안의 중심 잡고 다시 한국에 돌아와서 일자리를 찾아 엄마를 돌봐야겠다고 생각했기 때문이다.

뭄바이 Mumbai 공항에 도착 했을 때, 공항 보안 유니폼 입고 있는 사람한테 다가 갔다. 그리고 그 사람한테 미국 돈으로 3성급 되는 호텔을 찾아줄 수 있냐고 물어보았다. 그 사람은 내 말이 떨어지자마자 곧바로 택시를 불렀다. 그리고 그 택시는 나를 어느 호텔로 데려갔다.

호텔에 체크인 하고 나서 내 방문으로 열고 들어 서는
순간, 코를 찌르는 곰팡이냄새가 방안에서 풍겨 나왔다.
그것은 방 한 쪽 벽에 크게 나 있는 검은 곰팡이로부터
나오는 냄새였다. 나는 호텔에 항의도 못한 채 그냥 쓰러져
의식을 잃고 말았다. 내가 정신을 잃은 것은 인도 방식에 놀란
것뿐만 아니라 3주 동안 한국에 적응하지 못하고 받았던
스트레스부터 였다. 정신을 차리고 나서는, 인도에 배낭여행
온 것에 대해 좋은 생각이 아니라는 걸 깨닫게 되었다.

그렇게 2틀 밤을 뭄바이에서 보낸 뒤에, 푸네 Pune 에 있는
오쇼 아슈람 Osho Ashram 으로 영적 스승을 만난다는 기대감으로
떠났다.

오쇼 아슈람에 1주일을 참여 하는 동안 내가 찾는 스승은
존재하지 않다는 걸 깨달았다. 실망스러웠지만, 푸른 바다를
보면 기운이 나지 않을까 해서, 사람들한테 바다가 있는 곳을
물어보았다. 그들은 하나같이 고아 Goa를 추천 했다. 그때는
스마트 폰이 없어 배낭 여행족들이 길을 묻고 다니는 것은
흔한 일이었다. 하지만 고아에 도착 하니, 태풍으로 인해
엄청난 비가 밤이고 낮이고 하루 종일 내리고 있었다.
지금까지 인도 여행에서 운이 따르지 않았다. 그렇게 고아의
모텔에 4일 동안 갇혀 있고나서, 비행기를 타고 자이푸르 Jaipur
로 갔다. 그곳에서 하룻밤 자고 아그라 Agra 로 가려고 하는
순간이었다.

길거리 사람들한테 고속버스 터미널이 어디 있는지 묻기

시작했다. 그때 어느 한 남자가 길을 안내해 주겠다며 내게 다가왔다. 나는 그를 따라가서 표를 샀다. 그리고 그 남자는 나를 버스가 있는 곳으로 안내했다. 그러나 그곳에는 우등 고속버스가 있는 대신, 하얀 낡은 밴 van 하나가 서 있었다. 그리고 마지막 승객인 나를 기다리고 있었다. 나는 그 안내한 남자한테 항의했지만, 그는 그 밴이 고속버스라고 주장했다.

인도 여행에서 항의하는 건 시간과 에너지 낭비라는 것을 깨닫고 나는 그냥 그 밴 안으로 올라탔다.

그 밴 안에는 전부 남자 승객들로 꽉 차 있었다. 그들은 어깨와 어깨를 맞대고 앉아 있었다. 나는 그들 사이에 한자리 남은 곳으로 가서 앉았다. 다행이도 7시간 운행하는 동안 밴 안은 조용했다. 그렇게 아그라에 도착해서 하룻밤자고 콜카타 Kolkata 로 향하게 된다.

인도 배낭여행 2

콜카타 시티는 인도의 그 어느 곳보다 더 셀 수 없는 많은 모패드들로 mopeds 거리에 꽉 채우고 있었다. 그 모패드들은 늦은 밤까지 끝없는 소음을 만들며 지나다녔다. 나는 호텔방에 짐가방을 떨구고 거리로 나가서 걷기 시작했다.

햇살이 밝게 비치는 오후였다. 거리를 한참 동안 걷다가 고가도로 아래 펼쳐진 광경에 나도 모르게 걸음을 멈추게 된다. 그리고 그 순간 내 앞에 펼쳐진 광경만 빼고 주변의 모든 것들이 뿌옇게 변해 버리기 시작했다.

그 광경은, 눈부시게 반짝거리는 빛이, 바닥에서 하늘 높이 튀어 오르는 물에 반사되어 나타났다 사라지는 것이었다. 그것은 거리 펌프에서 흘러 나오는 물이, 바닥에 흐르고 있는 것을 열명이 넘는 아이들이 그 물바닥위를 뛰어다니면서 만들어 내는 현상이었다.

아이들의 발이 바닥을 디딜 때 마다, 물이 하늘로 높이 치솟았고, 솟은 물은 햇빛을 받아 빤짝빤짝 빛나고 있었다. 더군다나 그들의 해 맑은 웃음소리 "하하하하..."

132

그 모든 바이브는 높은 주파수를 만들고 있었고, 그것은 거리에 꽉 채워졌다. 나는, 순간적으로 다른 세계로 빠져든것 같았다.

그날 저녁 나는, 다시 그 거리로 가보았다. 놀랍게도 낮에 뛰어놀던 아이들은 길바닥에 담요도 없이 다닥다닥 서로서로 붙어 누워 잠을 자고 있었다. 그들이 오직 누릴 수 있는 건, 종이 박스 위에서 자는 것 외에 아무것도 없었다. 하지만 다음날도 그들이 갖고 있는 조건 안에서 여전히 최상의 행복과 즐거움을 만들어 낼 수 있을 거라고, 나는 상상을 할 수 있었다.

그렇게 콜카타에서 하룻밤 지내고 난 다음, 마지막 목적지인 다질링 Darjeeling 에 가기 위해 기차를 타고, 뉴 잘파일구리 New Jalpaiguri 로 갔다.

다질링에는 라마 겔슨이 잠시 와 계셨다. 라마 겔슨은 하와이 마우이에 있는 티베트 달마 센터를 맡고 계신 분이었다. 하지만 그분은 어머니가 위독하셔서 그분은 잠시 다질링 근처, 소나다 Sonada 있는 티베트 불교 사원을 잠깐 와 계셨다.

라마는 멀리서 걸어오면서 나를 보는 순간 그분의 눈이 둥그렇게 커지면서 입이 떡 벌어졌다.

"와, 관연, 여기서 널 보다니, 정말 놀랍구나! 여기 혼자 왔느냐?" 그는 내게 물었다.

"네, 아무 가이드도 없이 혼자 왔어요." 그분을 보는 순간 반가워서 눈물을 글썽거리며 대답했다.

"대단히 용감하구나!" 라마가 놀라며 말했다.

"용감한게 아니고... 인도가 어떤 곳인지 알았다면 배낭여행으로 오지 않았을 거예요. 어쨌든 라마를 다시 뵙게 되어 반갑습니다."라고 나는대답했다.

라마는 나에게 차와 쿠키를 대접했고, 그분과 대화를 나누는 동안 험난했던 인도 여정이 싹 녹아버리는 것 같았다. 그렇게 인도 배낭여행을 3주 만에 끝내고 나서 마지막날 런던으로 떠나게 된다.

티베트 라마 겔슨, **Lama Gyaltsen**

사진찍은이 : 오라 씨

켈리 Kelly

런던 공황에서 나오자마자 공황 근처에 있는
YMCA에서 방을 하나 잡고, 일주일 안에 알렉산드라 팔레스 팍
Alexandra Palace & Park 근처에 방을 하나 구하게 되었다. 그때가
2007년 10월이였다.

그 집에서 산지 한달 가까이 되었을 때, 같이 사는
룸메이트들이 공원에서 피크닉을 갖는 날이었다. 피크닉에서
즐거운 시간을 보내고 나서 집으로 갈 무렵, 나는 그들에게 내
사정을 떨어 놓기 시작했다.

"사실 런던에 오게 된 건, 인도에서 마지막 날 내린
결정이었어. 미국에서 8년동안 살고 있었을 때 엄마가 많이
아프셔서 이번 여름에 갑자기 한국으로 돌아가게 됐지.
하지만 정글에서 살다가 도시화된 고향에 나왔을 땐
적응하기가 싶지 않았어. 그리고 아픈 엄마를 돕기 위해서는
돈이 필요 했는데, 8년 만에 한국 나와서 어디서, 어떻게, 뭘
해야 할지... 그래서 내 중심을 잡아 줄 수 있는 영적 스승
찾으러 인도로 떠났지. 그러나 인도에는 내가 찾는 스승은
존재하지 않았어. 그리고 인도에서 런던으로 오게 된 건

137

미국에서 모델 한 것처럼 여기서도 기회가 있지 않을까 라는 희망으로 왔지만... 아직까지 그런 기회가 주워 지지 않았어. 그래서 이번 달 까지만 너희들 하고 같이 살고, 이사 나가야 될 것 같다." 난 말했다.

그때 룸메이트의 친구인 사이먼 Simon 이 내게 말했다,

"갈 곳을 못 찾으면 우리 집에 와서 지내."

결국 나는 사이먼 집으로 가기로 결정하게 된다.

사이먼 집에 들어서자마자 그 집의 따뜻한 기운을 바로 느낄 수 있었다. 거실 소파에 앉자 있는 동안, 인도여행과 런던에서 살려고 애썼던 모든 긴장들이 싹 녹아 버렸다. 사이먼은 초에 불을 붙였고 우리는 초가 다 타 들어갈 때까지 얘기를 나누었다. 그리고 대화가 끝나고 나서 그는 거실 입구에 나만의 공간을 만들어 주기 위해 커튼을 달아 주었다. 그날 밤 나는 오래간만에 아주 푹 잠을 잘 수 있었다.
사이먼은 원래 그레나다 Grenada 에서 런던으로 왔고 심리치료사로 경찰서에 10대들이 붙잡혀오면 그들의 심리를 치료 해주는 일을 하고 있었다.

다음날 사이먼이 일을 마치고 집에 왔을 때, 나는 명상을 하고 있었다. 사이먼한테 옆에 앉아 명상해 보겠냐고 물었다.

그는 내 뒤에 앉아 십분 정도 명상을 했다. 명상이 끝난 후,
사이먼은 태어나서 처음으로 명상을 했다며 스스로 감동했다.
그렇게 나는 그의 집에 지내면서, 앉아서 명상하거나, 수십
마일을 걷는 명상을 하며 하루를 보냈다.

사이먼 집에서 지낸지 어느덧 두 달 되어가고 있었다.
그는 동네 바 bar 에서 라이브쇼가 있다고 같이 가자고 했다.
라이브쇼는 시작되고 사람들은 음악에 동요되고 있을 때,
나는 갑자기 숨을 쉴 수 없어 밖으로 나와 버렸다. 고개를
떨군 채, 땅 바닥을 보며 천천히 걷기 시작했다. 길바닥에서
쏘아 올리는 눈부신 조명이 내 얼굴에 비치게 된다. 그 순간
걷잡을 수 없는 감정들이 소용돌이 치기 시작했다. 그것은
엄마에 대한 미안함과 마우이에 대한 강한 그리움이었다.
그때 금색 운동화를 신은 사람이 내게로 다가왔다. 나는 그
사람이 누구인지 보기 위해 숙였던 고개를 들었다.

한 작고 마른 체구의 젊은 영국 여자가 내 앞에 서 있는
것이었다. 그녀는 그녀가 피고 있던 담배를 내게 건너 주며
말하길,

"이거 필레요?"

난 아무 생각 없이 그녀의 담배를 받았다. 그리고 나서
그녀와 눈이 마주치는 순간 그녀의 강렬한 눈빛은, 나의 모든

생각이 멈추게 만들었다. 그리고 그녀는 나에 대해 말하기
시작했다,

"당신은... "

그녀가 끊임없이 말하고 있는 동안 나는 그냥 입 만 떡
벌어진 채 듣고 만 있었다. 그렇게 한참 동안 그녀는 나에
대해서 말하고 나서는 사라져 버렸다. 오직 내가 그녀에 대해
아는 건, 그녀의 이름, 켈리 Kelly 라는 것과 그녀의 이메일
뿐이었다.

그녀를 만난 다음날, 내 안의 깊은 곳에서 전사의 혼이
살아나는 것 같았다. 그리고 한국으로 돌아가 엄마를
돌봐야겠다는 결심을 하게 된다. 그래서 3개월 런던 여정을
마감하고 한국으로 가는 비행기 표를 끊고, 2007년 12월 말
다시 집으로 다시 돌아가게 된다.

쌍둥이 천사 동상

사진찍은이: 오라 씨

중독에서 해방

눈이 심하게 오던 2004년도 한국의 겨울 어느 날, 아버지는 자전거를 타러 밖으로 나가셨다고 한다. 그러나 자전거를 타고 가시다가 눈에 덮여서 보이지 않는 큰 돌에 부딪쳐 자전거에서 떨어지셨다고 한다. 떨어질 때 엉덩이가 심하게 찢어 엉덩이뼈가 부셔졌다고 한다, 그리고 의식까지 잃게 coma 되셨다고 한다. 병원에서는 아버지가 한 달을 넘기기 힘들 거라고 진단했다. 그래서 엄마는 아버지를 돌아가실 때까지 돌보겠다는 마음으로, 아버지를 집으로 데리고 왔다고 한다. 하지만 아버지는 의사가 말한 대로 한 달을 못 넘긴 것이 아닌, 그런 혼수상태 coma로 1년 반을 사셨다고 한다.

아마도 그것은 엄마의 지극한 간병으로 인해, 아버지가 더 오래 버틴 것이 아닌가 싶다.

아버지를 집에 모셔온 엄마는, 일 가시기 전에 그리고 일 갔다 와서, 매일매일 아버지의 상처를 소독약으로 닦아 주셨다고 한다. 그리고 죽을 먹이고, 대소변도 받아 내셨다고 한다. 그런 식물인간이 되어 의식이 없는 아버지는 가끔 의식이 돌아오면, 엄마를 불러 미국에 있는 내가 어떠하다

하시고는 다시 의식을 잃으셨다고 한다.

내가 미국에 있을 때 아버지가 편찮은 걸 들었지만, 그 정도 심란 증상이라는 걸, 한국에 돌아와서 알게 되었다. 그때 엄마 곁에서 돌아가시기전 아버지를 돌보지 못한 것에 대해 매우 미안하게 느껴졌다.

3개월 런던 여정을 마치고 돌아와, 엄마의 증세를 자세히 보니, 엄마는 하루에도 수차례 씩 우시는 정신병 같은 증상을 일으켰다. 엄마는 계속해서 힘들 기억속으로 빠져들어 10 분에 한번 정도 우는 것이었다. 그렇게 울고 있는 엄마한테 나는 말했다,

"엄마 과거 좀 그만 생각하세요. 과거는 끝났어요. 더 이상 과거는 존재하지 않아요. 이젠 엄마 옆에 내가 있잖아요! 이거 내가 만든 것 좀 먹어봐, 엄마."

엄마는 날 보며 잠깐 웃음을 지으시더니, 다시 고개를 숙여 기억 속으로 빠져 들어가, 울기 시작했다. 그렇게 엄마와 지낸지 한 달쯤 지났을 때였다. 엄마가 또 울고 있는 것이었다. 순간 나도 모르게 정신이 나가, 엄마한테 소리를 질렀다,

"엄마, 내가 몇 번이나 말 했어! 그만 울라고! 과거는 이제 더이상 존재하지 않는다고! 내가 한국에 엄마 때문에 왔는데,

엄마는 그런 내 심정이나 알아?"

그렇게 엄마한테 소리를 지르자마자 엄마도 내게 소리
질렀다,

"네가 감이, 엄마한테 소리를 질러!"

엄마는 내게 소리 지르고 나서 엄마방으로 들어가 문을 쾅
닫고 목이 터져라 울기 시작했다. 엄마의 우는소리를 듣는
있는 순간 가슴이 너무 아파, 나도 울기 시작했다,
'*엄마를 돌보러 한국에 왔는데 엄마를 돌보기는 커녕,
엄마한테 상처만 주고 있다니.*'

엄마는 한 동안 울고 나더니, 울음을 멈췄다. 그리고
정적이 흘렀다. 정적이 어느 정도 흐르고 나서, 엄마는 방문을
열고 조용히 나왔다. 그리고는 날 보며 말하시길,

"너 말이 맞다."

그날 이후로, 엄마는 점점 덜 울기 시작했다. 그리고
과거나 미래에 집착하기보다는, 지금의 삶에 몰두하는 것
같았다. 그렇게 엄마의 정신이 호전되자, 나는 엄마한테 한글
쓰기와 읽기를 가르치기 시작했다. 그리고 심신 건강을 위해
국선도도 가르쳤다.

엄마가 8살 정도 되었을 때 한국 전쟁이 끝났다. 전쟁을 치루고 나서 대부분의 사람들은 그들이 갖고 있던걸 잃었다. 그리고 엄마의 부모님 즉, 나의 외할아버지와 외할머니께서도 마찬가지로 전쟁이 끝나고 나서 갖고 있는 것이 거의 없으셨다고 한다.

그래서 그분들은 자식들 중 아들만 학교에 보냈고 딸들은 보내지 못했다고 한다. 엄마는 학교에 다니는 대신, 9살 때부터 일을 해야 했다. 13살쯤 되던 해, 집을 나와 방직 공장에 다녔고 그리고 식당 등등, 몸으로 부딪치는 일을 하면서 열심히 돈을 모았다고 한다. 결국 엄마가 모은 돈으로, 할아버지 할머니께 땅을 사드렸고, 그분들이 그 땅에 농사를 지으시며 사셨다고 한다. 그리고 두 명의 오빠와 남동생의 등록금까지 내주었다고 한다. 그렇게 엄마는 돈 버는데 만 몰두하고 글을 배울 기회를 갖지 않았다. 내가 어렸을 때 엄마는 새벽에 나가 밤에 들어오는 7일을 365일을 일하셨고, 돈을 거이 쓰지 않으셨다.

어느덧 엄마를 돌 본지 일 년 반 정도 되었을 때였다. 그때 나는 영어 학원에 다니며 영어를 가르치고 있었다. 일을 마치고 집으로 돌아와 현관문을 여는 순간, 엄마의 방안에서 엄마가 책 읽는 소리와 웃는 소리가 퍼져 나오고 있었다.

"다녀왔습니다." 나는 엄마의 방문을 살며시 열면서

인사했다. 엄마가 고개를 들어 나를 쳐다보는 순간 엄마의
눈은 반짝반짝 빛나고 있었다. 그리고 환하게 웃으시며
대답하길,

"우리 애기 집에 왔어! 엄마 행복하다!"

나는 얼떨결에 미소 지으며 조용히 방문을 닫았다. 그리고
방문을 닫자마자, 두 팔을 하늘로 번쩍 뻗어 올리며 외쳤다,

'예스 Yes! 나의 미션 완료. 엄마의 병을 고쳤다!' 그
순간의 이루 말할 수 없는 기분이었다.

한편, 2년 동안 엄마를 치유하면서 나는 독신으로 지냈고
술 담배도 전혀 하지 않게 된다. 그리고 모든 중독에서 벗어나
몸과 마음을 정화시키게 된다. 그러므로 명상, 국선도, 도교
Taoism, 한의학 공부 등, 자기 개발하는데 집중할 수 있었다.
엄마 또한 병은 많이 호전되었고, 엄마의 직관 intuition 도
다시 돌아오게 된다. 엄마는 날 보며 말씀하시길,

"너 미국 가고 싶지. 이제 가도 돼, 엄마 괜찮아."

내가 미국에서 한국으로 돌아온 첫 날, 엄마는 무섭다며,
나보고 아무데도 가지 말라며 하셨다. 그렇게 엄마의 허락이
떨어지고 난 몇 주 후에, 신기하게도 장거리로 2년간 연락해

온, 미국에 있는 남자 친구한테 프로포즈를 받게 된다. 신크로나시티를 갖는 순간이었다.

그래서 2009년 12월에 나는 약혼자 비자를 갖고 미국으로 다시 돌아 가게 된다.

2016년 샌프란시스코에 있는 위맨스 빌딩
The women's building 벽화

사진찍은이: 오라 전

3장 오라

'어떤 문제도 같은 수준의 의식으로 해결 할 수 없다.

No problem can be solved from the same level of consciousness.'

－아인슈타인 Albert Einstein－

1, 지금 순간을 살기

인어

　　　해가 바다로 잠기고 나서 수평선 위에 금빛 벨트가
둘러졌다. 그때가 2017년 12월 로스앤젤레스에 베니스
바닷가였다.

　더 어두워 지기 전에, 나는 엉덩이의 모래를 털고 바닷가
옆의 길을 걷기 시작했다. 길거리에서 하루 종일 공연했던
사람들과 물건을 팔았던 사람들은 하루를 마감하고 짐을 싸고
있었다. 그렇게 걷다가 갑자기 내가 본 것에 놀라 발 걸음을
멈췄다.

　"이 것을 당신이 만드셨나요?" 나는 한 여자분한테 물었다.

　"네, 맞아요". 그녀는 대답했다.

　그것은 육감적이었고, 다 큰 성인 여자의 몸 사이즈인
데다가, 심지어는 그 안에 영혼까지 살아 숨쉬는 것 같았다.

　"아, 그래요! 이걸 만드는데 어느 정도 걸리셨어요?" 난
다시 물었다.

"하루 종일 걸려서 만들었어요. 그리고 지금 방금 끝마쳤어요. 이것을 한 두 시간 정도 사람들에게 보여 준 다음, 집에 가기 전에 쓸어버릴 겁니다." 그녀가 대답했다.

"집으로 가시기 전에 쓸어 버리신다고요?" 난 놀라며 말했다.

"네. 그렇습니다" 그녀는 대답했다.

"와, 당신이 하시는 행위는, 마치 티베트 불교 스님들이 수행하는 같네요! 티베트 스님들이 하는 수행 중에서, 몇 달이고 걸려서 '만다라' 라는 작품을 완성합니다. 그것은 형영 색색의 모래로 정성을 들여 만드는 작품이죠. 그것이 완성 되고 난 후, 바로 그것을 쓰러 버리죠. 그 수행의 목적은 집착에서 벗어나기 위한 것이죠,
우리 인간들은 이 물질적 세계에서 공들여 세워 온 모든 것들, 이 육체를 떠날 때 가져갈 수 없기에 훌훌 자유롭게 털고 갈 수 있도록 수행 하는 것입니다. 당신은 그것을 이해하고 있는 것 같네요!" 난 말했다.

"예, 맞아요. 과거나 미래는 없습니다. **과거는 기억속에 있고, 미래는 상상속에 있는 것이기에 그 어느 누구도 확실히 예측 할 수 없습니다. 그래서 '지금' 이 순간만이 진짜일 real 뿐입니다.**" 그녀는 대답했다.

그 예술가의 이름은 메리 클라인 Mary Klein 이고 그녀는 모래로 인어 상을 바닥 위에 만들어 놓고 난 다음 쓰러 버리는 예술을 하고 있었다.

나는 그녀를 만나고 난 후, 4개월 동안 만난 남자로부터 남아있던 상처가 훌훌 씻어 나가는 것 같았다. 그리고 그날 저녁 공기가 아주 신선하게 느껴졌다.

모든 건 계속해서 끊임없이 변하기에 다시 돌아올 수 없는 이 순간이 아름답게 느껴진다.

2017년
베니스비치 거리에서
인어모래상
**At Venice beach,
California**

사진찍은이: 오라 씨

용서는 내 안의 상처를 치료해 준다

　　　　　선셋 블로바드 Sunset Boulevard 를 달리고 있는 버스 안이었다. 갑자기 이유 없이 눈물을 마구 쏟아지기 시작했다. 나는 눈물을 멈추려고 애썼지만 멈춰지지가 않았다. 결국 눈물을 멈출 수 있었던 건, 한 시간 후 그 버스에서 내릴 때였다. 이런 이상한 현상이 일어났을 때가 2017년 8월 어느 날 로스앤젤레스에서 있었을 때다.

　　더 이상한 현상이 일어난 것은, 1시간 동안 울고 나서 아주 생생한 그림 같은 장면이 내 눈앞에 나타났다 사라졌다. 그 생생한 그림 같은 장면에는 한 남자, 나, 그리고 4살이나 5살 정도 보이는 아이가 있었다. 그 장면 속에서 본 남자는 내가 몇 년 전부터 알고 있던 남자였다. 나는 그 장면에 대해 고개를 저였다, '아니야, 아니야, 아니야...'. 그 장면이 보고 난 한달 후에, 희한하게도 똑같은 장면이 다시 생생하게 나타났다 사라졌다.
　　두번째 장면을 보고 나서는, 그 장면속에 아이는 그 장면속에 있던 남자와 갖게 될 아이 이고, 우린 가족을 만들 거라고 믿기 시작했다. 그래서 그와 만나기로 결심했다. 이런

믿어지지 않는 현상들이 일어나는 것은 명상을 하고부터
나타나는 것들 중 하나였다.

그렇게 그와 만나기 시작한 후 얼마 안돼서, 나는 상처를
받기 시작했다. 그 고통이 계속되자, 결국 나는 그와 진지하게
대화를 나누기 시작했다.

"그건 나의 두려움으로부터 생겨난 거야." 그가 대답했다.

그는 우리의 대화 속에서 그가 어릴 때 어떤 큰 두려움을
겪고 난 후 무의식적으로 마음을 닫게 되었다는 것을 깨닫게
된다. 그는 마음이 닫혀 있어 차갑고 이기적이었다. 나는
마음이 닫혀 있는 사람과 관계를 맺는 것이 이렇게 상처를
받을 수 있다는 것을 전에는 알지 못했다.
그런 마음이 통하지 않는 사람과 지속적인 만남은, 내
가슴에 상처를 받게 했지만 그와 가족을 만들 거라는
맹목적인 믿음으로 그를 계속 만나게 된다.
결국 그를 만 난지 4개월 정도 되었을 때, 나는 그에게
진지하게 내가 본 장면에 대해 말하게 된다. 그때 그의
반응은,

"그건 네가 본 장면이지, 내가 본 것이 아니야. 네가
나로부터 아이를 갖기를 원한다면, 너가 싱글 맘 single mom 이
되는 걸 고려해볼게"

160

그의 발언은 내가 본 장면에 대해 잘못 해석했다는 걸 뼈저리게 깨닫게 해 주는 순간이었다. 그래서 결국 나는 그와의 만남을 마무리 짓게 된다.

그런 힘든 관계를 맺고 있는 동안, 나는 우연치 않게 매일매일 하루에 1시간씩 관세음보살 기도 (만트라)를 하고 있었다. 그 기도를 한지 한 달 정도 되었을 때, 갑자기 내 마음 속에서 용서가 일어났다.

나는 나를 용서했다. 나는 그 사진 같은 장면을 잘못 해석하고, 잘못된 믿음으로 그 남자한테 바로 나를 열어 준 내 자신을 용서했다. 그렇게 **나를 용서하자마자 그와 얽힌 감정이 실 타래처럼 짝 풀려나갔다. 그리고 내 마음은 깨끗이 비워 지더니, 갑자기 밝은 빛이 내 마음 속으로 채워 지기 시작했다. 그 빛은 자비와 사랑** compassion **이었다. 그리고 자연스럽게 그 남자를 위해 기도하게 됐다.**

'그 사람을 두려움으로부터 벗어나가게 하여 마음이 열리도록 해주세요.'

그렇게 그와 헤어진 8개월 후에 그가 결혼했다는 소식을 들었다. 시간이 흘러 그 이상한 그림 같은 장면과 그로 인해 일어났던 일들을, 지인과 나누게 되었다. 그 지인은 내가 본 장면에 대해 다르게 해석했다,

"오라씨가 4개월 동안 만난 그 장면에 속에 나온 남자는, 당신에게 심한 고통을 주는 인물로 상징되는 것 같습니다. 그리고 당신이 그 남자로부터 받는 고통에서 극복해 나가는 과정에서, 당신은 새롭게 탄생되는 것이죠. 그리고 그 장면에서 나온 4살 또는 5살 아이는, 트리니티 Trinity 즉 새로운 탄생을 상징하는 것이죠. 그 트리니티는 바로, 새롭게 탄생한 당신을 상징하는 것입니다."

이 경험을 한 후 다시 한번 깨달은 것은, 우리는 살아가면서 실수를 통해 인생을 배우고 성장한다. 그리고 우리는 용서를 통해 자신의 잘못 또는 무거운 경험들로부터 자유로울 수 있다. 왜냐하면 용서는 붙잡고 있던 과거의 무거운 기억이나 감정을 훌훌 털어 버릴 수 있기 때문이다. 그럼 마음을 비워지게 되고, 비워진 마음에는 새로운 에너지로 채워진다. 그것이 치유이다.

치유가 된 자신은, 그 자신안에 있는 주파수 또한 자연스럽게 높아질 것이다. 그리고 높아진 주파수에 따라 자신의 인생은 흘러가게 될 것이다.

-도교 철학에서 음양의 조화는, 여성적 에너지와 남성적 에너지의 조화도 나타내고 있습니다. 이 양극의 에너지 조화를 이루기 위해 이타적이며 덜 이기적이고, 서로 존중하고 돌보는

마음이 필요할 것입니다-

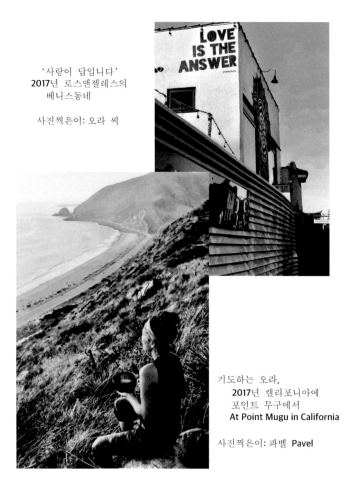

'사랑이 답입니다'
2017년 로스앤젤레스의
베니스동네

사진찍은이: 오라 씨

기도하는 오라,
2017년 캘리포니아에
포인트 무구에서
At Point Mugu in California

사진찍은이: 파벨 **Pavel**

키스

　　　　　마법을 부린 듯 해가지고 나서, 하늘은 핑크 빛으로 변했다. 그리고 그 아래에 두 사람이 하나가 되는 식이 거행되고 있었다. 그들은 서로 마주보고 손을 잡고 있을 때, 그들의 벅찬 감정이 눈물로 변해 흘러 내리고 있었다. 나 또한 그들과 공명 되어 눈물이 흘러내렸다. 그때가 2006년도 늦가을, 하와이 마우이에 있는 라하이나 바닷가 Lahaina Beach 옆에, 어느 집 앞 마당에서 아래 열리는 작은 결혼식이었다.

하와이 마우이 라하이나 바닷가
Lahaina, Maui, Hawaii

사진찍은이 오라 씨

식이 끝나자 사람들은, 그들이 가져온 술과 음식을 먹기 시작했고 나는 신선한 공기가 필요해 걷기 시작했다.

어느새 밤 하늘에는 별들이 하나 둘 씩 나와, 그들의 밝기를 뽐내고 있었다. 그런 별들을 보며 걷다가, 그 곳 앞마당에 있는 수영장 바닥에서 쏘아 올리는 눈부신 조명으로부터 발걸음을 멈췄다. 그 빛은 나를 강하게 유혹했고, 나는 그 유혹에 당해 옷을 벗어 물속으로 뛰어들었다.
물 속에 있는 내 몸은 마치 물의 엘리멘트 element 된 것처럼 자유롭게 움직이기 시작했다. 그리고 나의 모든 생각들은 그 물속으로 녹아 버렸다. 몸과 마음이 신선해 지고나서 물 밖으로 나와 수영장 옆에 걸 터 앉았다. 밤 하늘은 어느새 수많은 별들로 꽉 채워져 있었다. 그리고 끝없는 은하수가 그들이 비밀을 내게 애기하는 듯했다
그때, 어떤 강한기운을 느꼈다. 그래서 그 에너지가 오는 쪽으로 고개를 돌렸다. 어둠속에서 한 젊은 금발머리 남자가 내 쪽으로 걸어오고 있는 걸 볼 수 있었다. 그가 내게로 가까워지니 그를 알아 볼 수 있었다. 그는 다름 아닌 3명의 서퍼들 surfers 중 한 명이었다.

세 명의 젊은 서퍼들은, 서프를 마치고 보드를 안은 채 우연히 결혼식이 진행되는 앞마당으로 걸어 들어온 것이었다. 그리고 신랑 신부는 그들을 모르지만 그들을 환영했다.

그 금발의 서퍼는 내 앞에서 멈추더니 조용히 내 옆에
앉아 내게 말을 걸었다,

"안녕 Hi"

"안녕 Hi" 난 답변했다. 그리고 나서는 정적이 잠시 흘렀다.
그는 다시 내게 말을 걸었다.

"어디서 본거 같은데... 아, 기억났다! 나 기억해요? 프런트
스트리트 Front Street 에 있는 음식 코너에서 계산하는 계산원?
당신이 그곳에 2주 전에 와서 나한테 주문했는데, 나
기억해요?" 그가 말했다.

"어, 그러네요!" 내가 대답했다. 그를 자세히 보니 기억이
났다.

"와, 믿을 수 없네! 당신이 음식을 사고 나서 걸어가는
뒷모습을 보면서, 당신을 다시 보게 될 거라는 강렬한 느낌을
받았어요! 그런데 이렇게 빨리 다시 보게 될 줄 몰랐네요!"
그는 말했다.

"정말?" 그의 말이 신기하다고 생각하며 대답했다.

그 순간 우린 서로의 눈이 마주치게 eye contact 된다. 그때

그는 내게 가까이 다가오더니 그의 입술이 내 입술에 가볍게
터치했다. 순간적으로 나는 놀라서 몸을 뒤로 뺏지만 나의
저항은 그 바이브에 녹아버리고 말았다. 그리고 우리는 수많은
별들 아래 끝없는 은하수처럼 키스를 하기 시작했다. 그
순간은 마치 모든 것이 멈추고 그와 나만이 존재하는 것
같았다.

그렇게 키스하는 도중, 나는 무의식으로 잠깐 눈을 뜨게
된다. 그때 긴 꼬리의 별똥별 a long tail shooting star 이 지나가는 걸
보게 된다, '마술이다 Magic!'

얼마가 지났을 까, 우리는 조심스럽게 일어나 바닷가 쪽으로
천천히 걸어가기 시작했다.

파도가 우리 앞에 왔다가 부서지는 걸 반복했지만
그것조차 우리를 멈추진 못했다. 그렇게 시간이 흐르고 나서
갑자기,

"뭐지? 들었어?" 그가 말했다.

"세상에 Oh my God!" 난 대답했다.

"미쳤다 crazy!" 그가 다시 말했다.

우리가 드디어 키스를 멈췄다. 우리가 멈추게 된 것은 어떤
희귀한 소리로부터 였다. 그 소리는 마치 새가 지저귈 때 내는

하이 피치 high-pitching 같은 소리였다. 그 소리는 바로, 우리가 키스하는 동안 우리의 입안에서 나온 것이었다. 그와 나는 어린아이처럼 웃기 시작했다,

"하하하하…"

인생이란 항상 논리적으로만 전개되지 않는 것 같다. 내 인생에서 신기하고 마법 같은 일들이 펼쳐진 것은 아마도, 내 마음이 완전히 순수했고, 나의 정신은 온전히 그 순간에만 fully being in the present moment 있었기 때문인 것 같다. 또한 내 마음은 완전히 이완된 상태 relaxed 였기에 때문에 우주의 흐름을 탈 수 있었던 것 같다.

별똥별 **a shooting star**

사진작가: 권오철

2, 높은 주파수를 갖는 법

자연치유

내가 일했던 농장에 대부분 사람들은, 고등학교를
갓 졸업한 미국 청년들이 그곳에 와서 일을 하고 있었다.
그들은 대학을 진학 할지, 사회생활을 할지, 진로를
결정하기전에 우프 프로그램에 참여하고 있었던 것이었다.
그리고 다른 나라에서 온 20대의 젊은 이들은, 농장일을
마치고 나면 마우이를 여행하는 여행자 traveler 들이었다.

우프 WWOOF: World Wide Opportunities on Organic Farms 프로그램은 일
교환으로, 유기농 농장에서 일을 하면 그곳에서 숙식을 제공을
받는 프로그램이다. 나는 그 프로그램을 하와이, 마우이에
있는 농장에서 2013년부터 2015년 까지 왔다 갔다 하면서
참여하게 된다.

우리는 5시간 일을 아침에 마치고 나면 10명이 넘는
일하는 사람들 (우퍼들 WWOOFers)과 나는, 같이 바다로 가서
수영을 하거나 폭포가 있는 계곡에 가서 놀곤 했다. 어느 날은
정글 같은 숲에 가서 놀기도 했다. 그리고 밤이 되면 다들
라운지 방에 둘러앉아 시간을 보냈다.

라운지 방 안에서는 어떤 이는 체스 Chess 를 하던가 아니면

맥주를 마시며 이야기 나누는 이들이 있었고, 그런 가운데 그들 중 한명은 항상 자정까지 기타를 치곤 했다. 어떤 밤에는 농장안에서 캠프파이어를 하기도 했다.

밤 하늘의 수 많은 별들 아래, 나무 타는 냄새와 현란한 불꽃의 춤추는 모습을 보고 있으니, 모든 생각과 걱정이 사라져 버렸고 다른 차원의 세계로 떠나는 것 같았다.

왼쪽 농장 동료와 오라,
그리고 가운데와
오른쪽에 우퍼들
WWOOFers (농장 동료들

2013-2015 년
드레곤프르츠 농장 **&** 그린리프 농장
하와이 마우이에서

농장일을 통해 땅과 접촉 할 수 있었고, 자연안에서 요가와 명상을 하면서 나 스스로를 힐링 할 수 있었다. 그것은 결혼을 마무리 짓는 과정에서 약해졌던 나의 정신, 마음, 에너지 그리고 영혼까지 치유할 수 있는 계기가 된 것이다. 이런 땅과의 접촉은 나의 어린 시절부터 시작 되었다.

지금 아이들의 장난감, 비디오 게임, 휴대폰, 컴퓨터 등등으로 집 안에서 대부분 시간을 보내지만, 내가 자날 때는 그런 것들을 가져 본적이 없었다. 그래서 나는 걷기 시작할 때부터 밖으로 나가, 놀이감들을 찾기 시작했다. 그리고 무한한 놀이감을 찾게 된다. 그것은 바로 자연이었다.

내가 어릴 때 살던 동네에는 논으로 둘러싸여 있었다. 봄에는 논에 벼가 심어진다. 그리고 한여름이 오기전에 긴 장마가 지나고 나서, 그것들은 쑥 자라버려, 어린아이인 내 키보다 더 커버리게 된다. 그리고 나서는 그것들은 진한 녹색깔로 갈아 입게 된다. 나와 동네 꼬마 친구들은 맨발로 그 녹색세상 안으로 뛰어 들어가서 하루 종일 놀곤 했다.
그 안에는 올챙이 등 다양한 물속의 생명들이 존재했다. 그렇게 여름이 지나면 내가 가장 좋아하는 계절, 가을이 온다.

가을 되면, 녹색이었던 벼들이 쌕 노란색으로 갈아입는다. 그리고 그 노란색 위에 대조를 이루는 푸른 하늘이 펼쳐졌다.

그리고 그 노랑과 파랑 세상 사이에 셀 수 없는 수 많은
잠자리들이 날아 다녔다. 그것은 마치 동화책을 펼쳐 놓은 것
같은 순간이었다. 그리고 나서 수확기를 맞이하게 된다.
수확기가 끝나면 집채만 한 볏짚이 논 한 복판에 쌓여진다.

집채만한 볏짚 안에 누군가 방 크기 만한 큰 구멍을 파
놓았다. 그것은 나와 동네 꼬마들은 논 옆에 있는 밭에서
수확하다 남은 작은 무 하나를 발견하고, 그 안으로 들어가
추위를 막으며 그 무를 먹으며 놀 수 있는 공간이 되어버렸다.
추운데도 자연과 완전히 터치 될 수 있는 순간이었던 것이다.
그리고 나서 날씨가 더 추워지면 온 세계가 하얗게 변했다.
마법의 눈으로 온통 세상이 뒤덮여져 버린 것이다. 그 눈이 논
바닥에 쌓이고 나서 얼어붙으면, 나와 동네 꼬마들은 하루
종일 추운 줄 모르고 썰매를 타며 놀곤 했다. 그렇게 사계절
내내 자연은 우리에게 훌륭한 놀이터를 제공해 주었다.

　　　　맨발로 땅을 디디고, 만지면서 자란 것이 '지기'
(지구의 에너지) 하고 연결될 수 있었고, 명상을 하고부터
'천기' (우주의 에너지)하고도 연결 될 수 있었다. 이 두
에너지의 균형은, 나의 주파수를 올려준 것 뿐만 아니라,
무한한 상상력과도 연결하게 된 것 같다.

한국 고향

사진찍은이: 오라 씨

의지력 (나는 못 박았다)

2018년도 여름 로스앤젤레스에서 러년 캐니언 Runyon Canyon으로 하이킹을 가는 도중이었다.

한 남자가 달리며 나를 지나쳤다. 그리고 그 남자로부터 강한 에너지를 느낄 수 있었다. 그래서 고개를 돌려, 그가 가는 쪽을 쳐다 보니, 그가 입고 있는 소매 없는 헐렁한 검은 셔츠가 눈에 들어왔다. 그 셔츠 앞 전면에는 하얀 색깔로 크게 '엑스 x'로 프린트되어 있었다. 그리고 그 뒷면에는 '나는 못 박았다 I am Nailed'라고 프린트가 되어 있었다. 나는 그 셔츠에 의미가 궁금해서 그가 아파트로 들어가기 직전, 그에게 다가가 물었다,

"실례합니다."

그는 뒤를 돌아 나를 쳐다봤다. '아하...' 그의 눈에서 강렬한 광채 radiant가 나고 있었다. 그 눈빛으로 잠깐 정신을 잃었다가 다시 제 정신으로 돌아왔을 때 그에게 물었다.

"당신 셔츠에 '나는 못 박았다' 라는 건 무슨 뜻입니까?"

"아, 이거요! 저는 일체 술 담배 모든 마약을 하지 않습니다. 제가 대학교 다닐 때는 그런것들을 다 해봤지만, 졸업하고 나서 지금까지 20년 동안 아무것도 손대지 않았습니다. 그렇게 맨 정신 sober으로 살아온 내 삶은, 내가 하는 일을 성공으로 이끈 것 같습니다. 저는 이곳 엘에이 L.A. 와 스위스 Switzerland에서 사업을 운영하고 있고 그 사업은 번창해 가고 있고. 지금 나는 마흔 살이고 매일 16 킬로를 뛰고 있습니다. 이 셔츠에 엑스의 뜻은 '노 No',라는 뜻이고, '나는 못 박았다'는, 내 몸에 좋지 않은 것들을 하지 않기로 못 박았다는 뜻입니다." 그가 말했다.

언젠가 라마 겔슨이 하신 이런 말이 기억나게 만들었다,

"**진정한 의식** the true consciousness**의 성장은, 마약, 술, 또는 담배 그런 걸들로 통해서 성장 할 수 없고, 맨 정신으로만 성장이 가능할 것이다.**"

2017년 로스앤젤레스에서

사진찍은이: 오라 씨

건강한 몸 (미역국)

"안녕, 잭스 Jax," 나는 7개월 된 아이한테 인사했다. "잭스의 기가 강한데요. 강한 것뿐만 아니라 차분하기까지 하네요!" 나는 잭스의 엄마인 쉘비 Shelby 한테 말했다.

잭스한테 말을 걸자마자, 그 아이는 내 새끼손가락을 그의 한 손으로 꽉 쥐더니 놔주지 않았다

"잭스는, 7살 된 그의 쌍둥이 형들보다는 더 튼튼해요. 제가 잭스를 가졌을 때, 자연스럽게 가공식품이나 패스트푸드를 먹지 않게 되더군요. 그 대신 신선한 음식만 입에 당겼어요. 그 중에서도 미역국을 가장 많이 먹었어요." 쉘비가 대답했다.

"미역국을요? 그건 한국 음식인데! 미역은 바다에서 나는 해조류예요. 한국에서는 산모가 아이를 출산하고 나면 미역국을 먹죠. 미역에는 혈액을 맑게 하는 성분을 갖고 있어 산모의 붓기를 빠지는데 도움이 된다고 하더군요. 그래서 인지 한국에서는 생일을 맞은 사람들은 미역국을 먹어요. 아마도 어머님들이 출산하고 나서 미역국을 드신 것이 유래 된 것

같아요." 난 말했다.

"우리는 미역국을 일주일에 한 번씩 먹어요. 재료에 따라 고기도 넣기도 하고, 면도 넣어 먹기도 하죠. 그리고 김치도 얼마나 좋아하는데요." 쉘비의 남편이 말했다. 그녀의 남편은 이탈리아계 미국인 이였다.

"와, 두 분은 나보다 더 많이 미역국을 먹네요! 그리고 김치까지? 두 분 미국 사람 맞아?" 김치는 발효한 음식이라 소화를 돕고, 그 안에 살아있는 박테리아 probiotic는 나쁜 박테리아가 몸에 침입했을 때, 싸울 수 있는 기능도 갖고 있죠. 그렇게 한국은 5,000년 넘는 역사 속에서 많은 건강한 음식들을 개발해 왔어요." 나는 한국 음식에 대해 그들한테 자랑스럽게 설명해 주었다. 그리고 내가 좋아하는 음식 하나 더 소개했다.

"제가 좋아하는 한국 음식 중에서 쑥이 들어간 음식인, 쑥떡이나 쑥 된장국도 있어요. 제가 자랄 때 엄마가 들에서 쑥을 캐서 만들어준 음식이에요. 쑥은 간을 해독 할 수 있는 성분과 면역력 강화 그리고 항암제로 알려져 있더군요." 나는 말했다.

내가 쉘비를 만났을 때가 2022년 11월 추수감사절 Thanksgiving 날이었다. 마우이에 있는 친구집에서 추수감사절

저녁초대에 그녀가 온 것이다. 그녀는 지금 31살이고 원래 필라델피아 Philadelphia 에서 자라났고 한다. 그리고 그녀가 16살 되던 해 집을 떠나, 혼자서 노매드처럼 여러 곳에서 살았다고 한다. 그런 그녀의 노매드의 삶은, 다양한 많은 사람들을 만나 인생에 대한 지혜를 배웠다고 한다. 그 중에서도 미역국은 한국교포 친구로부터 알게 된 음식이라고 했다.

우리는 대부분 음식 섭취를 통해 에너지를 얻게 된다. 그래서 어떤 음식을 먹느냐에 따라 건강이 좌우될 것이다. 건강한 몸은, 건강한 정신과 마음을 갖는데 영향을 줄 것이고, 또한 자신안에 주파수도 올리는데도 기여할 것이다.

2022 년 마우이에서 추수감사절날
쉘비와 그녀의 가족, 그리고 다른 친구들과의 저녁

사진찍은이: 오라 씨

신성한 물고기

깊이 바다로 노를 저어 들어 갈수록, 파도는 점점 더 거칠어 졌다. 나는 수영을 잘하지 못했지만, 파도로 인해 카누 Canoe가 올라갔다 내려갔다 하는 것이 무섭기 보다는, 마치 어드벤처 영화속에 있는 것 같이 흥분을 자아냈다.

그날은 2021년 4월에 마우이에 있는, 하와이 카누클럽 Hawaii Canoe Club에서 두번째 카누를 타던 날이었다.

카누의 노를 저어가며 3 킬로미터 정도 깊은 바다로 들어 갔을 때, 선장이 "라바 Lava (하와이어로 '멈춰')라고 외쳤다. 그러자 카누 안에 있는 사람들은 저었던 노를 멈췄다. 그리고 나서 거친 파도로 인해 카누안에 물이 반쯤 찬 것을, 사람들이 퍼내기 시작했다. 나 또한 그들을 도와 물을 퍼냈다. 그리고 난 후, 깊고 장엄한 푸른 바다를 바라 바라보며 넋을 잃게 된다.

그때 갑자기, 큰 검은 덩어리가 물 속에서 튀어 오르더니, 바로 다시 바다속으로 사라졌다. 너무 갑작스런 현상인 것 뿐만 아니라 그 웅장한 바이브 vibes 의 생생함이 내 눈앞에 펼쳐진 것에 나는 넋을 잃었다. 그리고 입이 떡 벌어진 채

아무 말도 할 수가 없었다. 카누안에 있는 사람들은 소리
쳤다,

"고래다!"

카누 선장은 다시 한번 어떤 하와이 말로 외쳤다. 그때
사람들은 노를 하늘 위로 곧바로 세우더니 고래를 향해
존경심을 표시했다. 나도 그들을 따라 나의 노를 하늘로
곧바로 세웠다.

그날 그 신비스러운 고래로부터 받은 바이브는 내 안의
주파수를 높게 올려준 것뿐 아니라 그 주파수는 꽤
지속되었다. 그 예상치 못했던 경의로운 순간을 경험한 후,
뭔가 강한 깨달음을 얻었다. 그것은,

'우리 인간들이 마음이 열려 있어 이기적이지 않고, 욕심을
낮춘다면 자연의 보존함이 얼마나 중요한지 깨달을 것이다.
왜냐하면 우리는 자연으로부터 풍부한 자원을 누릴 수 있고
뿐만 아니라, 기대치 못한 즐거움까지도 제공받을 수 있기
때문이다. 그것은 우리와 자연이 서로 공존하기 coexistence
때문이다.'

그래서 자연 훼손으로 인해 우리에게 미치는 심각한
영향을 우리는 깨달아야 할 것이다.

오라 **2021**년 하와이 마우이

사진찍은이: 스코트 코딜맨

3, 오라 Come to me

오라 Come to me (지리산 할머니)

지리산에 있는 화엄사에 갔다가 내려오는 길이었다. 그때가 2008년도 어느 여름 날이었다. 산을 반쯤 내려오는 길에 하얀 한복을 입으신 할머니께서 나무에 팔을 걸치시고 매달려 있는 것을 볼 수 있었다. 나는 그 할머니한테 다가가서 물었다,

"할머니 괜찮으셔요?"

"어, 괜찮아." 할머니께서 대답하셨다.

"도와드릴까요?" 난 할머니한테 다시 물었다.

"아니야, 잠깐 쉬고 있는 거야. 화엄사 올라 갈 때는 택시 타고 올라 갔지만, 내려오는 길은 걸어서 내려오거든. 그래서 내려오다가 잠깐 쉬고 있는 거야," 할머니가 대답하셨다.

"아, 예." 난 대답했다.

그 할머니께서 무사한 걸 확인하고 나서, 나는 계속해서
산길을 내려갔다. 나무에 팔을 걸치고 쉬고 계시던 할머니도
내려오시기 시작했다. 할머니가 나랑 가까워졌을 때, 할머니와
나는 대화를 나누기 시작했다. 대화가 거의 끝날 무렵,
할머니께서 말씀하시길,

"젊은 사람이 벌써 깨달음을 얻었군. 생년월일이 어떻게
되나?" 할머니가 물으셨다.

난 할머니한테 내 생년월일 말하자, 잠시 할머니는 잠깐
생각에 잠기고 나서 말씀하시길,

"젊은 처자여, 처자가 사십이 넘고 난 후에는 지금까지
처자가 해왔던 것들이 다 들어올 걸세!"

"다 들어온다고요 All come to me?" 난 대답했다.

셀카, 차의 옆거울에 비친 내 모습

사진찍은이 : 오라 씨

경험

      지금까지 내가 살아오면서 만났던 사람들; 마음이
열려 있는 여자, 남자, 아이들, 노인들, 그리고 피부 색깔과
상관없이, 그들과의 상호관계 즉, 서로 돕고, 감사하며, 통하고,
나누며, 영감 주었던 시간들은 내 삶을 풍요롭게 해주었다.
    우리는 살아가면서 무의식 중이나 또는 의식적으로
서로서로에게 영향을 미치며 resemble 살고 있다.

    지금 2024년, 인간의 세상은 그런 사람들과의 직접적인
상호관계에서 에이아이 AI와의 관계로 전환되어 가고있다.
이런 새로운 시대에서 인류는 어떻게 변화하게 될까?

    **끝없이 변화하는 세상 속에서 끝없는 깨달음을 얻을 수
있는 이 생 또한 별똥별처럼 찰나로 지나가기에, 지금 이
순간이 선물인 것 같다.**

-신비로운 경험인 사토리 the mystical experience Satori 는
당신이 우주의 영원한 에너지임을 깨달은 것으로, 그것을
붙잡을 수 없고, 그것을 버릴 수도 없으며, 그것을
얻을 수 없다는 것에서 얻게 된다. 말할 때 그것은 침묵하고,
침묵할 때 그것은 말 한다. 그것을 얻을 방법이 없기에 이제
얻을 수 없는 것에서 얻게 된다. 모든 방법들은 단순히 당신의
자아 ego를 강화하기 위한 속임수에 불과하다…-

The mystical experience Satori, the realization that you are the eternal
energy of the universe. You cannot catch hold of it, nor can you get rid of it,
in not being able to get it, you get it. When you speak, it's silent. When you
are silent, it speaks. Now, in not being able to get, get it, because there is no
method. All methods simply gimmick for strengthening your ego...

'원하는 사람이되세요'

오라, 그리고 오라의 여정에서 인연이 되었던 사람들

올빼미

비 내리는 밤, 가로 등도 없는 차도를 운전하는
내내 초보 운전자인 나로서는 긴장을 늦출 수 없었다. 그때가
2018년 10월 하와이 마우이였다.

나는 먼저 친구의 친구를 파이야 Paia에 데려다 주고 볼드윈
도로 Baldwin Ave 로 다시 들어서기 직전이었다.

저 멀리서 달려오는 차가 보였다. '저 차를 먼저 보내자'
라고 속으로 생각지만 무의식적으로 나는 브레이크를 밟는
대신 가속 페달을 밟았다. 순식간에 멀리서 오던 차는 내 뒤에
바짝 붙어 경적을 울리기 시작했다.

구불구불한 가로등 없는 좁은 볼드윈 도로에, 뒤에 바짝
붙은 차까지 내 신경을 날카롭게 만들었다. 그래서 뒤 차를
먼저 보내려고 차를 세울 만한 곳을 찾고 있었을 때, 갑자기
큰 하얀 날개가 내 차 앞에 나타났다가 사라진 것이다.

'뭐야? 날씨 때문에 환각을 일으켰나?' 라고 순간적으로
생각했다. 하지만 그것은 환각이 아니었다. 나는 급하게
브레이크를 밟았다. 왜냐하면 길 한복판에 새 한 마리가
뚝하고 앉아 있었기 때문이다.

보통 차도에 놀고 있는 새들은, 차가 가까워지면 날아가 버린다. 그러나 이 새는 꼼짝하지 않고, 그 비 내리는 밤에 도로 한복판에 앉아 있는 것이었다.

그 새의 장엄한 자세로부터 강한 영혼 같을 것을 느낄 수 있었다. 그리고 그 새의 검은 눈과 나의 눈이 마주치는 순간, 시간이 멈춰진 것 같았다. 나는 정신을 차리고 나서 말했다,

"올빼미다, 올빼미라고!" 나는 말했다.

그것은 하얀 둥근 머리를 가진 젊은 어른 올빼미로 보였다. 차 안에는 크리스천 만 빼고 다들 잠이 들어 있었다. 내 뒤에 앉아 있던 크리스천은 내게 가까이 다가와서 속삭이길,

"오라 누나, 올빼미가 누나를 찾아왔어!"

하와이 신화 속에서 올빼미는, 직관이 발달하였고 남이 볼 수 없는 걸 볼 수 있는 능력을 갖고 있으며, 주목할 만한 영혼의 안내자로 상징되는 마법의 새이다.

'그날 왜 올빼미는 나를 찾아 온 걸까?

나의 여정은 이렇게 흘러왔고 그리고 오늘도 계속해서 진행된다.

'올빼미 영혼'

올빼미 조각, 하와이 마우이에서   사진아트 : 오라 씨

아티스트, 윌리엄 William

엄마손이 약손이다

발 행	2023년 12월 23일	
저 자	오라 씨 Ora C	Instagram @orahealer
		이메일: quanyinj@gmail.com
편 집	오라 씨 Ora C	
사진 편집	오라 씨 Ora C	
표지 디자인	enBergen	enbergen3@gmail.com
펴낸 이	한건희	
펴낸 곳	주식회사 부크크	
출판사등록	2014. 07. 15. (제 2014-16호)	
주 소	서울특별시 금천구 가산디지털 1로 119 SK 트윈타워 A동 305호	
전 화	1670-8361	
이 메 일	info@bookk.co.kr	

ISBN   979-11-410-6199-9

www.bookk.co.kr